JN065493

自分の力で肉を獲る

千松信也

10歳から学ぶ狩猟の世界

獲物のこん跡を探る

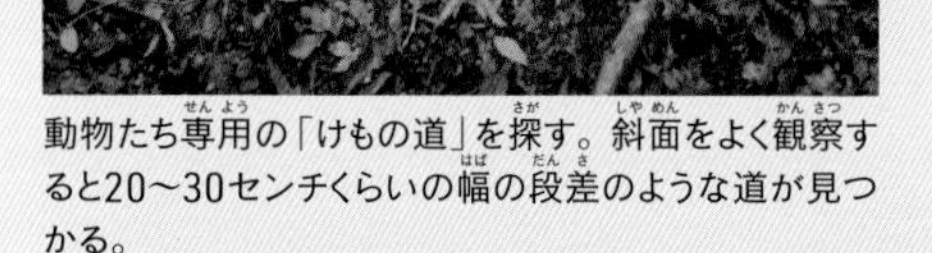

動物たち専用の「けもの道」を探す。斜面をよく観察すると20～30センチくらいの幅の段差のような道が見つかる。

自分がイノシシやシカになったつもりで山を歩こう。獲物の気持ちになることが大事。

けもの道で足跡を発見。これはシカの足跡。慣れてくると足跡を見るだけでどのくらいのサイズの獲物かがわかる。

イノシシが泥のついた体を木にこすりつけた跡。なわばりをアピールしているとも言われている。

背の低い樹木の葉っぱには泥がついていることが多いので、注意して見てみよう。

ヌタ場には足跡などのこん跡がたくさん残されているので、しっかりチェックしよう。

イノシシが泥浴びをするヌタ場を見つけた。山のあちこちにこうした場所がある。体のダニを落としたり体温を下げるためにここで泥浴びをする。

オスイノシシの下あごにはするどい牙がある。牙で木に傷をつけ、自分のなわばりを主張する。

幹についた傷。これはオスジカが角を木にこすりつけて研いだ跡だ。

シカは草だけでなく、葉っぱや樹皮も食べる。この木はとどく範囲の樹皮がぜんぶ食べられてしまっている。

こんなふうにねらう獲物の目線の高さまでかがんでみると、こん跡が見つけやすくなる。

シカのうんちを発見。乾き具合で、そのけもの道をいつ通ったかが想像できる。

クマが木に登ったときについた爪の跡。

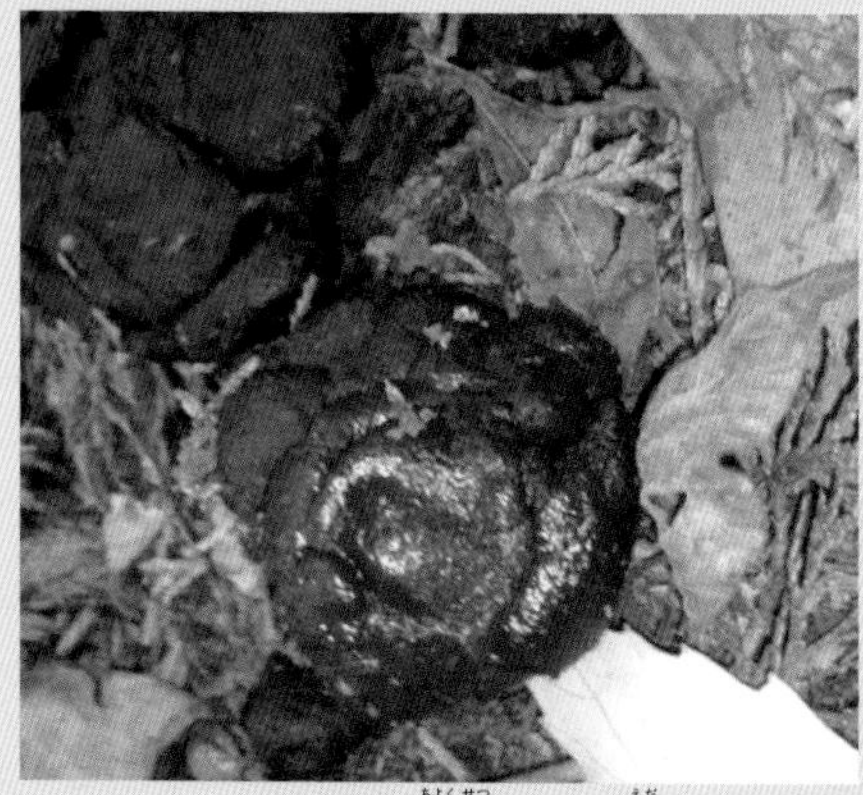

これはイノシシのうんち。直接さわらず枝などでほじって調べる。果物の種やドングリの殻などが残っていれば、それがヒントになる。

イノシシが鼻で土を掘り起こし、植物の根っこなどの食べ物を探した跡。

わなを仕掛ける

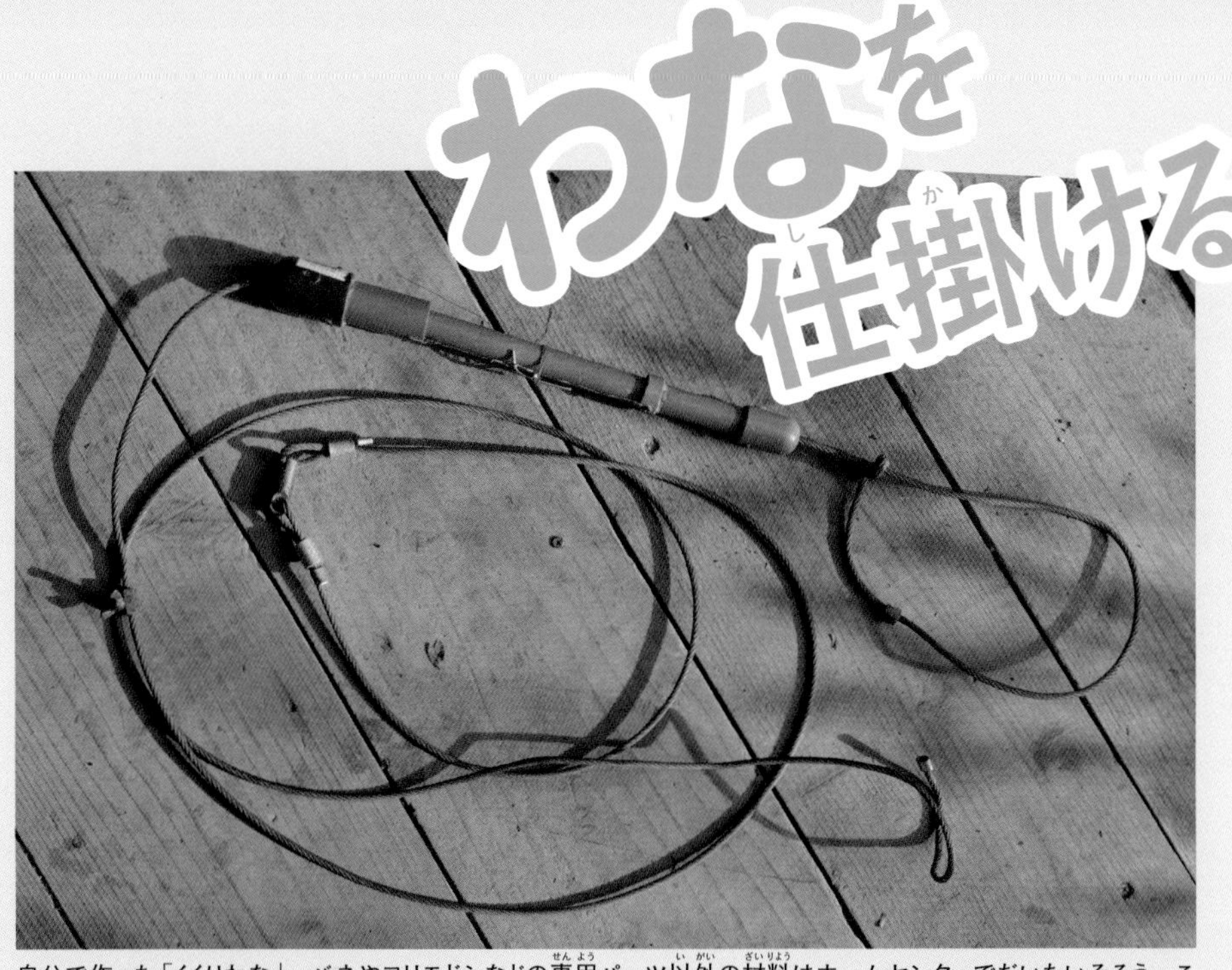

自分で作った「くくりわな」。バネやヨリモドシなどの専用パーツ以外の材料はホームセンターでだいたいそろう。これを山の中のけもの道に仕掛ける。

動物たちにバレないように、わなの金属や油のにおいを消す必要がある。カシやナラの木の皮を煮込み、その煮汁に漬けておくとよい。

あらかじめ下見をしてわなの設置を決めておいた場所へ向かう。山の様子の変化を観察しながら歩く。

山に入るときの道具。わな、ナイフ、ナタ、ノコギリ、ロープなど。

❶

わなを仕掛けるのは、けもの道の幅が狭く、獲物がそこを必ず通ると思われる場所。わなをピンポイントで踏ませるには、場所選びが重要になる。

❷

スコップで穴を掘る。わなのサイズは直径12センチ以下と決められている。

❸

掘った土は袋に入れ、離れた場所に捨てる。掘り返した跡やにおいに動物たちは敏感だ。

❹

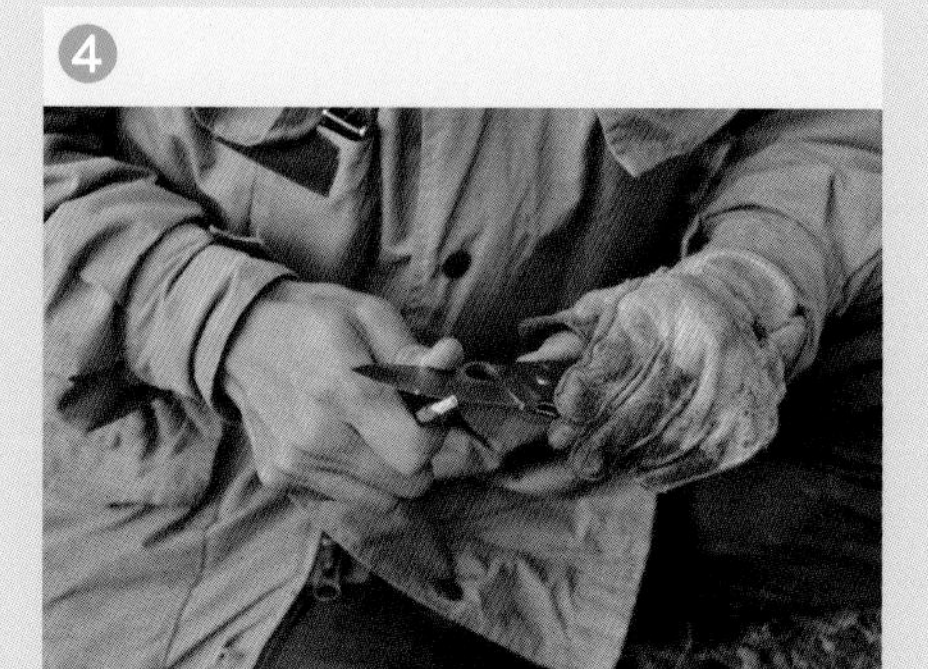

わなの仕掛けに使う小枝をナイフでけずる。

❺

わなのトリガー部分から伸びているヒモを小枝にしっかりと結びつける。これを引っ張るとわなが作動する。

⑥

ヒモを結んだ小枝を穴のふちに刺し、上からたたいて固定する。

⑦

穴をおおうために使う小枝を用意する。穴の直径ほどの長さにして、土に刺さりやすいように片方をけずっておく。

⑧

ワイヤーの輪を穴の大きさに調整して設置。穴の上に通っているヒモの上に渡すように小枝を交互に設置する。

⑨

小枝の上に落ち葉をのせる。

⑩

穴の上にそっと土をかぶせていく。

⑪

土の上にさらに落ち葉をかぶせ、穴を見えなくする。このあと、塩ビ管も土と落ち葉でおおい、完全に隠してしまう。

反対側のワイヤーを近くの木に結ぶ。必ずじょうぶな木にしばりつけること。

最後にわなの横に枝や石などを置く。障害物をまたごうと踏ん張った足をわなにかけるのがねらいだ。

わなが完成。どれだけ自然な雰囲気を出せるかが勝負だ。

獲物をしとめる

わなを見回ると、イノシシが掛かっていた。ねらっていたオスイノシシだ。

足がしっかりとわなに掛かっているか、ワイヤーが傷んでいないか、安全な場所から必ずチェックしよう。

無事にトドメ刺しを終え、血抜きもすませた。

家に運んだら、まずはしっかりと水道水で体を洗って泥を落とす。

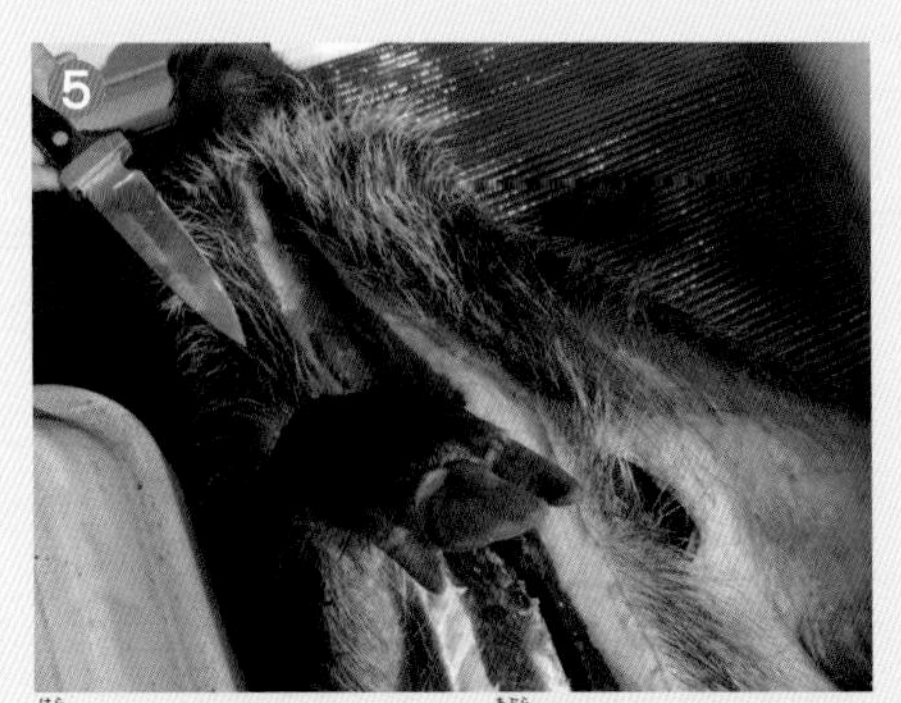

腹をナイフで切る。しっかりと脂がのっているのがわかる。いいイノシシだ。

泥や毛が中に入らないようにナイフは逆刃（刃を上向きにする）で、ていねいに割いていく。

肛門まわりはとくにていねいに処理をする。

腹の中に手を突っ込んで内臓を取り出す。腸やぼうこうなどを破らないように注意する。

内臓を取り出したら、水道水で腹の中をしっかりと洗って冷却する。

この日はシカが獲れていた。

ワイヤーが木にからまって身動きできない状態になっていた。

同時に2頭。こちらはまだ若いオスジカだ。角が小さい。

山から下ろしてきたところ。このあとの処理はイノシシと同じ。

獲物を解体する

獲物を解体するための作業小屋。

1

ねらっていたイノシシが獲れた。体重60キロ、ハラ抜きで55キロほどのいいサイズ。

イノシシをあおむけにしてテーブルに置く。

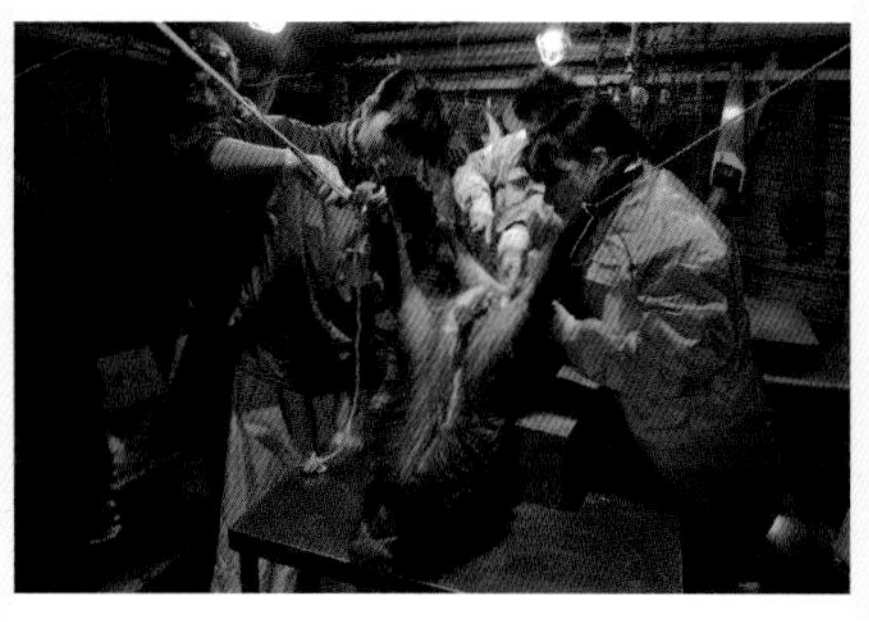

ナイフを使って皮をはいでいく。イノシシの解体で一番手間がかかる作業だ。

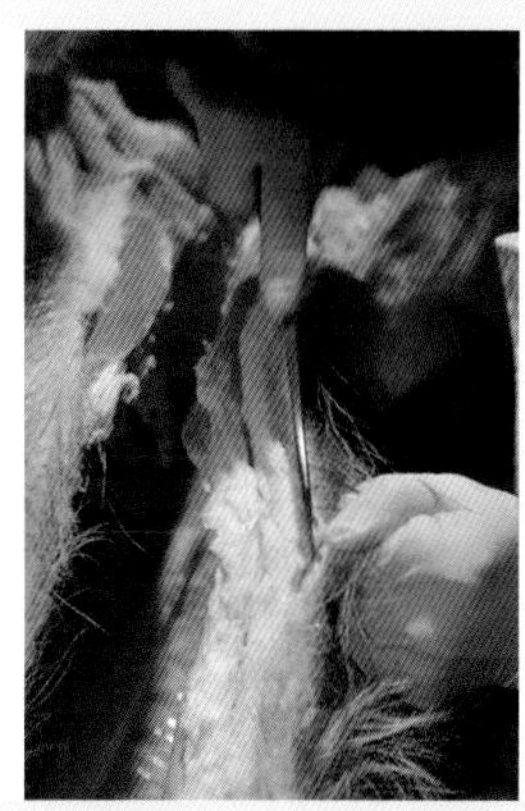

白い脂身と皮の間にナイフを入れ、ていねいにはいでいく。

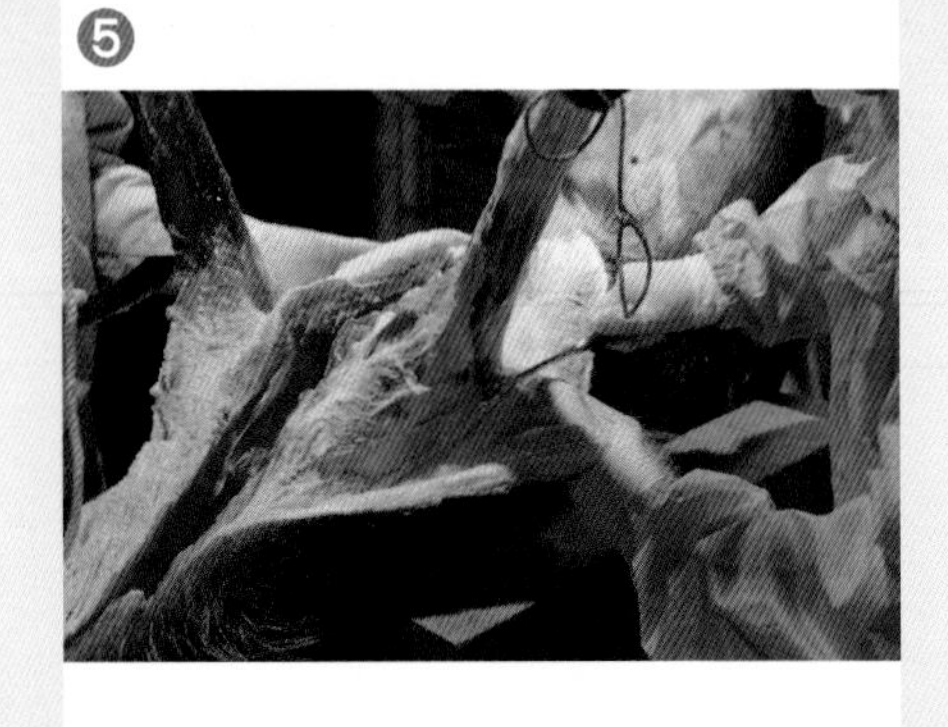

左手でしっかり皮を引っ張りながらやると上手にできる。

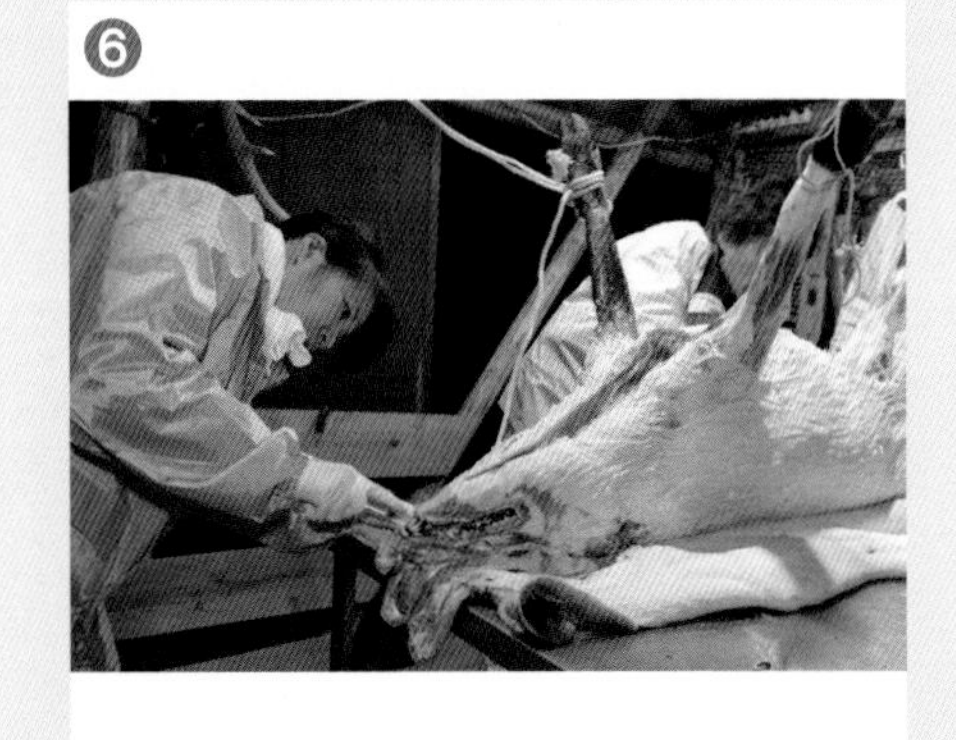

分厚い脂身はドングリなどのエサをたくさん食べている証拠だ。

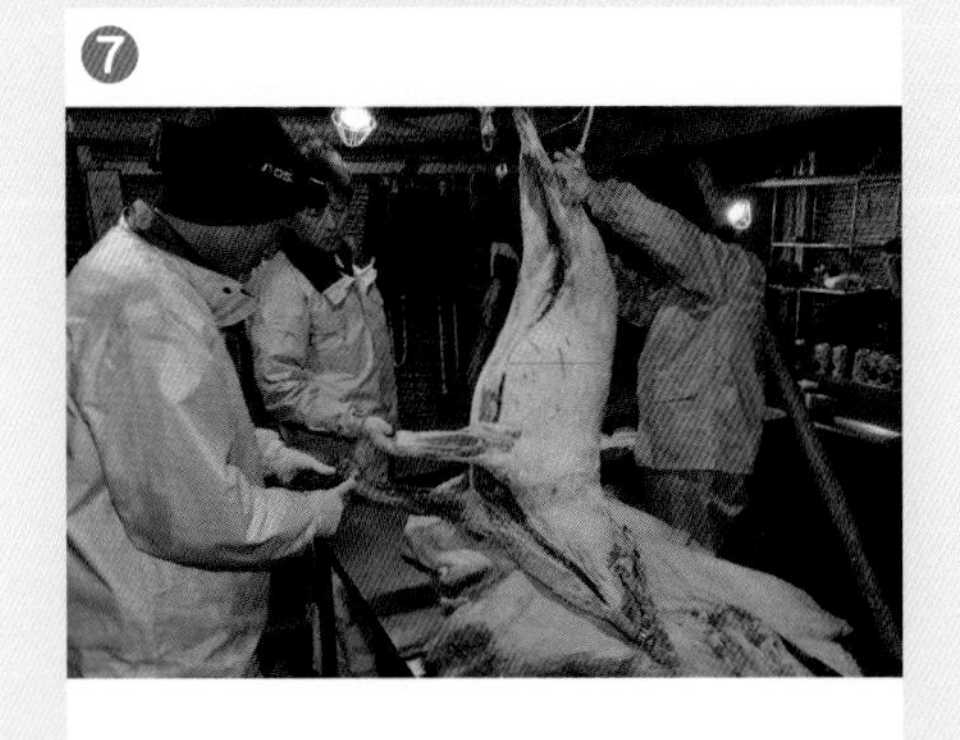

数人でやったので1時間ほどで皮をはぎ終えることができた。

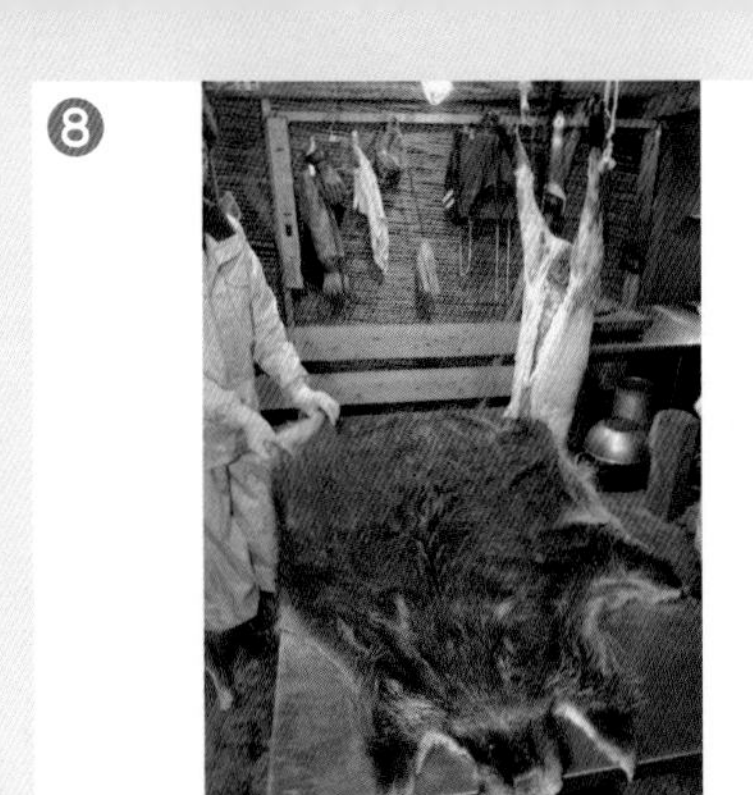

イノシシの皮。ダニが出るといけないので袋に密封しておく。

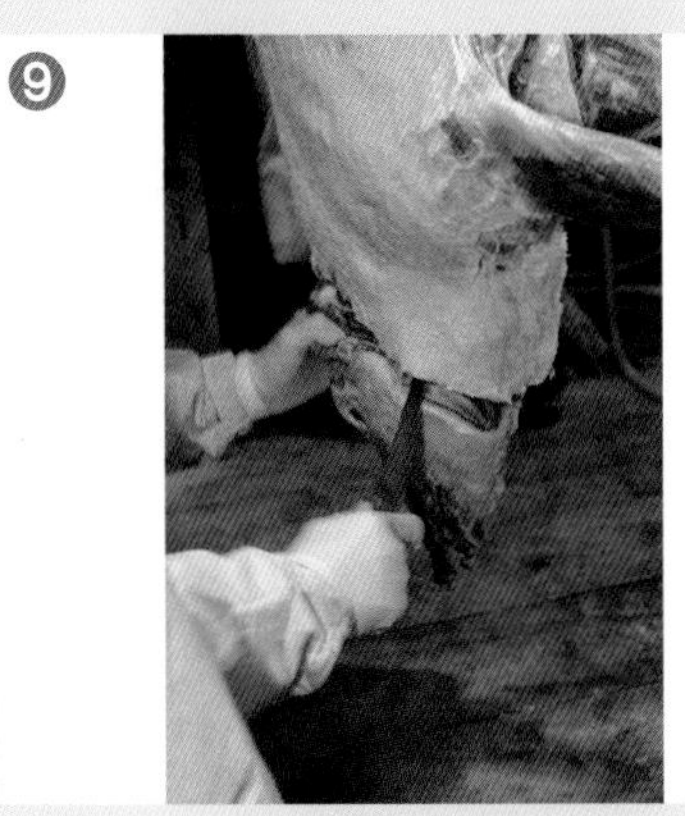

首のまわりにナイフを入れ、頭の部分を落とす。

「背割り」と呼ばれる作業。背骨を中心にノコギリで真っ二つにする。

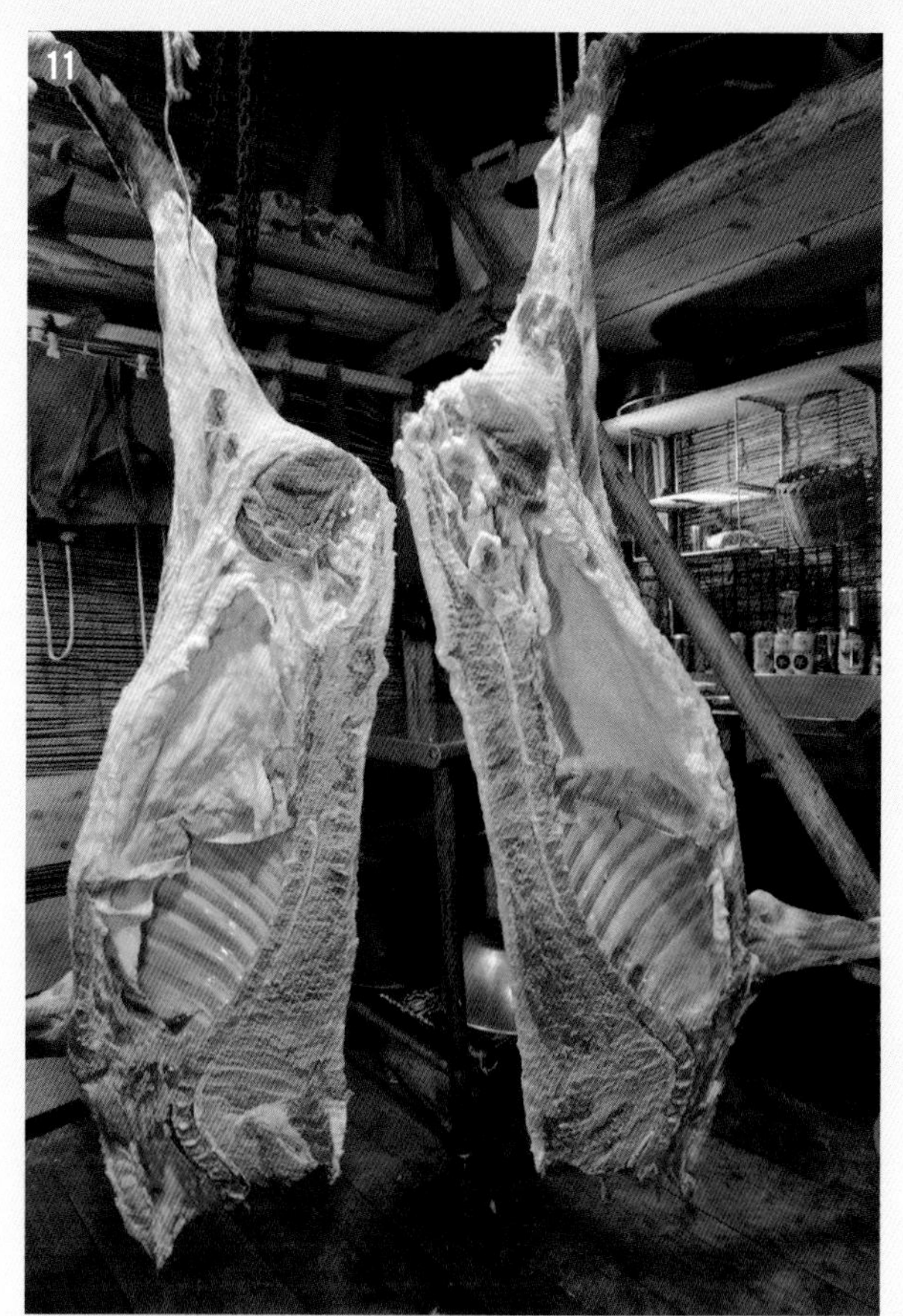

背割りした状態のイノシシ。こうすることで二手に分かれて作業がしやすくなる。

いったんテーブルを熱湯で消毒。ナイフを使い、肉を骨から外していく。

頭の部分の肉も捨てずにいただく。むだな部分はない。

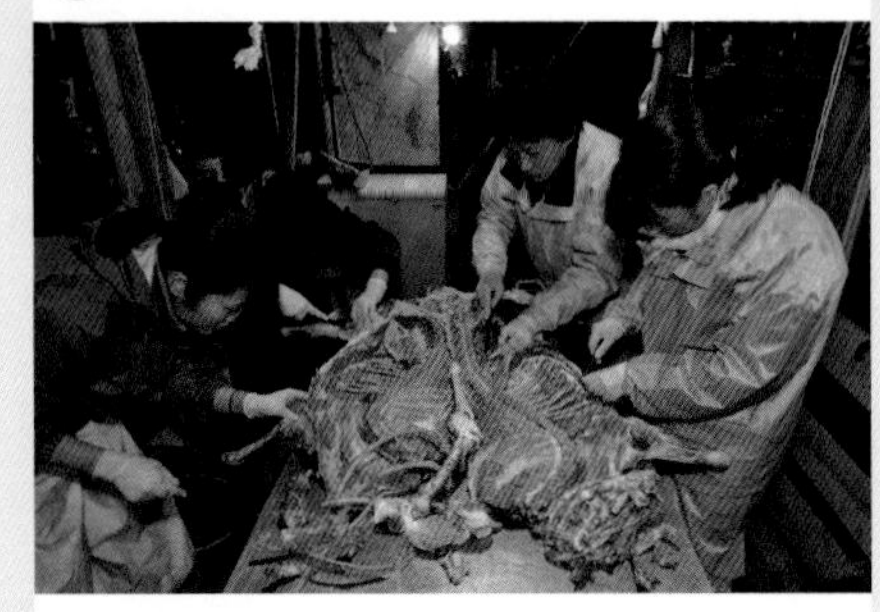

山ではひとりだが、解体は友人たちとやるのが楽しい。体重60キロのイノシシなら約30キロの肉が取れる。

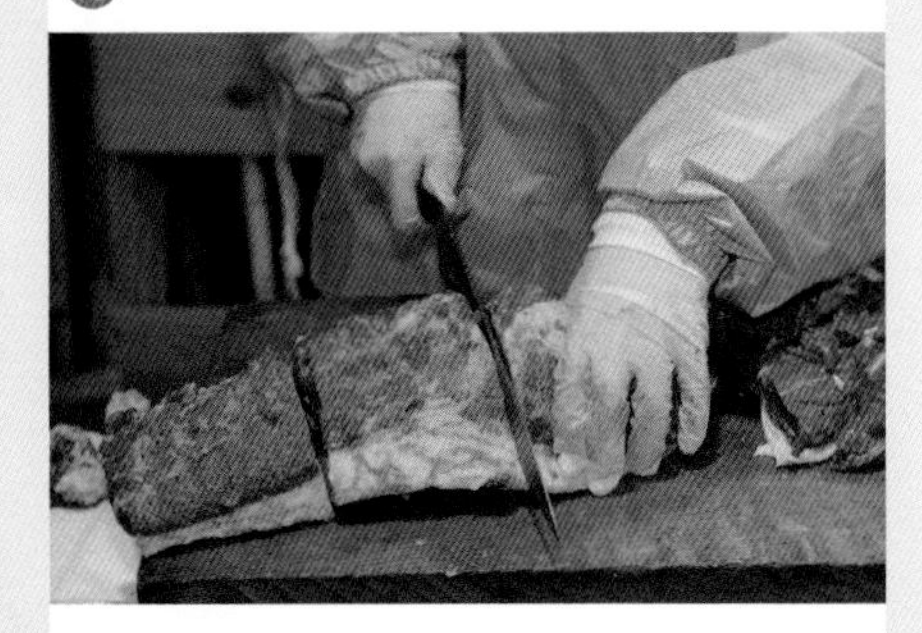

牛刀という大きな包丁を使い、肉を切り分けていく。

ロース、バラ、モモ、肩、スネなど部位ごとに肉を分ける。

保存用にパック詰めして冷凍する。性別や獲った日づけなどを書き込んでおく。

骨も捨てずに煮込めばスープがとれる。その残りは砕いてニワトリのエサになる。獲った獲物はなるべくむだなく利用したい。

自分の力で肉を獲る

10歳から学ぶ狩猟の世界

千松信也

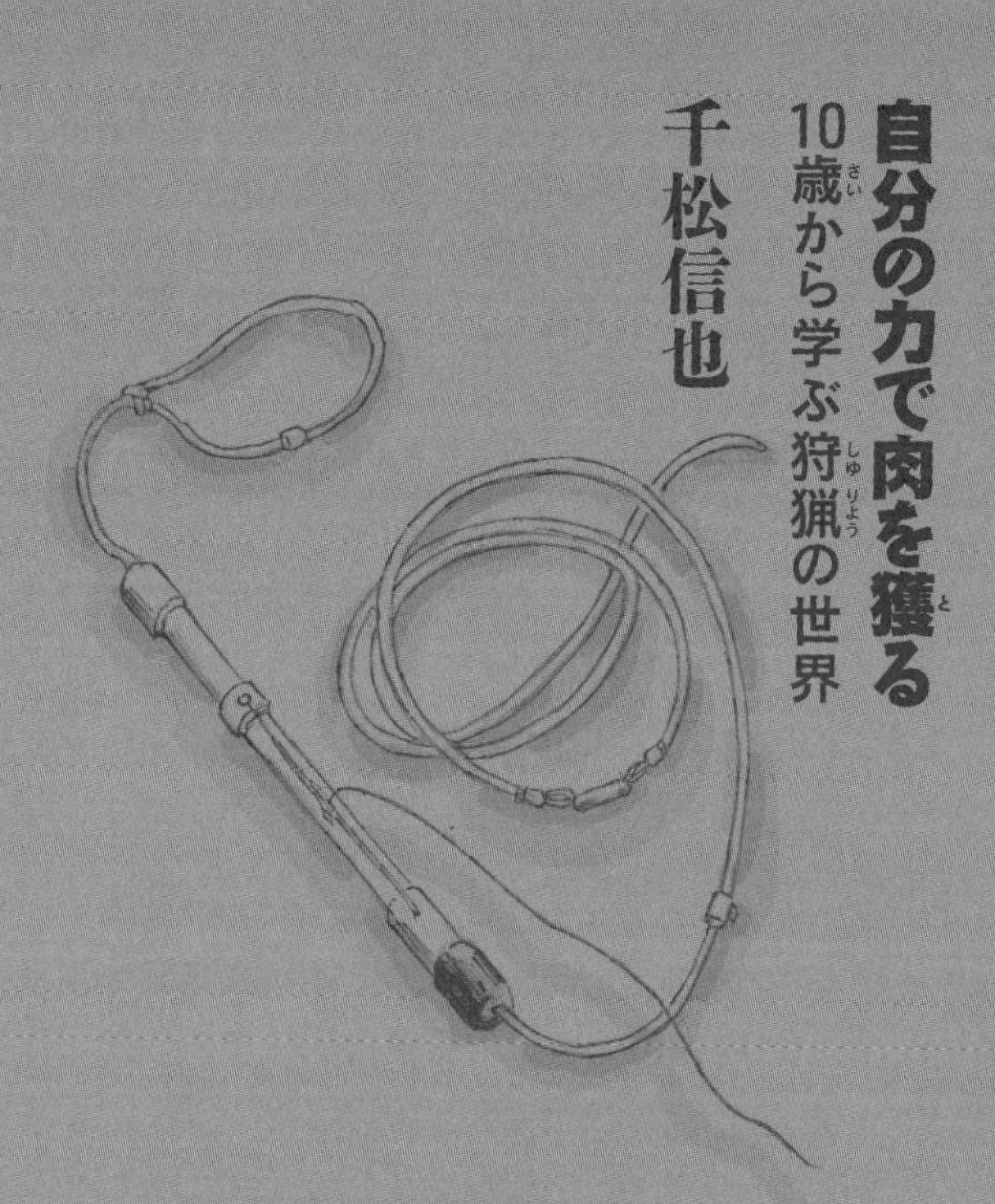

［もくじ］

2 獲物をしとめる

3 獲物を食べる・利用する

はじめに

小学校4年生くらいのことだっただろうか。

ぼくの家の近所にボロボロの空き家があって、いつのころからか5～6頭の野良犬が住みつくようになった。

その家のまわりには竹が生い茂り、林のようになっていた。ちょっとのぞきこまないとそこに家があることもわからないくらい伸び放題だった。

最近はとんと野良犬を見なくなったが、ぼくが子どもだった30年くらい前はまだ街を歩けばふつうに野良犬に遭遇したものだ。

ただ、こんなにたくさんの野良犬が1カ所に集まるのは当時でも珍しいことだった。

ぼくが通う小学校では、「危ないから決して近づかないように」というプリントが配られていた。

子どもたちの間では、

「あの野犬たちは死んだ飼い主の白骨死体を守っている」

「いや、近づいてかみ殺された人のがい骨だ」

こんなうわさが飛び交い、その野良犬たちは「野犬」と呼ばれ、恐れられていた。

もちろんその空き家には誰も近づこうとはしなかった。

その竹林の横にぼくの家の倉庫があったので、ぼくはその近くをよく通った。ガラスが割れて木枠だけになった窓の奥にその姿が見える。不安げにこちらをうかがう犬たちの目がいつも気になっていた。

竹林の横の空き地には、保健所が設置した野良犬捕獲用のオリのわながずっと置かれていたが、犬たちが捕まる気配はなかった。

そんなある日、ぼくはあることを決行した。

人目を忍んで竹林に近づき、持っていったおにぎりにペッペッとつばを吐きかけ、空き家のほうへ放り投げたのだ。

「ワンワンワンッ！」

空き家の中から怒ったような犬たちの鳴き声が聞こえた。

「やばいっ！」

ぼくは怖くなって全速力でダッシュして逃げた。一瞬振り返ったら、犬たちが

中から飛び出してくるのが見えた。

「うわっ、もうダメだー。かみ殺される！　やっぱやるんじゃなかったー」

そんなことを考えながらも無我夢中で走り続け、なんとか人通りのある大きな道までたどり着いた。

そして、恐る恐る後ろを振り返ると、そこに犬の姿はなかった。犬がいないのがわかると、ぼくは全身の力が抜け、大きく息を吐き出して、その場にへたり込んだ。

その数日前、ぼくは小学校の図書室で

動物文学作家の椋鳩十が書いた『孤島の野犬』という本を読んで、次の文章を見つけてひとりで大興奮していた。

「――どんなに気性があらくて、人にかみつくような犬でも、つばをつけた食べものをあたえて、それを犬が食べた場合は、つばをつけたその人には、けっしてかみつかないばかりか、その人としたしくなると、いわれているのです。」（椋鳩十全集5『孤島の野犬』）

そのころは椋鳩十を読み漁っていた。

動物好きだったので、『シートン動物記』や『ファーブル昆虫記』も当然読んでいたけれど、ぼくには外国の話はなんだかしっくりこず、それよりは椋鳩十が描く日本の動物たちと人々のふれあいの話が大好きだった。

椋鳩十の本はぼくにとっては内容が面白いだけでなく、動物についての知識や接し方を学ぶマニュアル本のような存在でもあった。

『孤島の野犬』は鹿児島県の離島での野犬と人々の暮らしをテーマとした作品だ。

その中の「消えた野犬」というお話の主人公、行商人の三吉は、村の青年が捕まえた野犬を譲り受け、みごと飼い犬にすることに成功する。家畜や人間までも襲う野犬を手なずけた主人公が単純にうらやましく思えた。その本を読み終えたぼくは、例の空き家の野犬で同じことを試してみようと考えたわけだ。

椋鳩十の本には猟師もよく登場する。動物たちの習性にくわしく、山に分け入って獲物を獲ってくる猟師に憧れるようになったのもこのころからだ。人里離れた山奥で猟犬や動物たちといっしょに暮らす生活にも興味があった。

ただ、まわりに猟をしている知り合いなんかひとりもいなかったので、自分が猟師になれるなんてことはこのころはまったく想像もしていなかった。

ぼくはその次の日も、母親におにぎりを作ってもらって、こりずに野犬たちのところに出かけていった。

追いかけられた恐怖心はまだ残っていたけれど、それよりもあの野犬たちをなんとか手なづけてみたいという好奇心のほうがまさっていた。

それに、「昨日ははじめてだったからあいつらもびっくりしただろうけど、もしあのおにぎりを食べていたら……」という期待もあった。

竹林に到着し、ドキドキしながら、中をのぞき込んだ。犬たちの姿は見えない。昨日投げたあたりにおにぎりも見当たらない。

「あれー？　中で寝てるんかな」

ちょっと拍子抜けしたが、

「まあ、これはチャンスやな。このすきにおにぎりを転がしといたら、あいつらをびっくりさせんですむわ」

と思い直し、またつばをつけておにぎりを転がした。

その帰り道、昨日とはうってかわってぼくは上機嫌だった。野犬たちが慎重ににおいをかぎつつも、空腹に負けてそのおにぎりを食べているところを想像して、

ひとりでニヤニヤしていた。

そのまた次の日。ぼくが野犬を見に行くと、玄関のあたりに1頭が丸くなって眠っているのが見えた。ただ、その耳はピンっと立ってこちらのほうを向いている。目を閉じながらも、ぼくの存在にはもう気づいているようだった。

微妙な緊張感がただよう中、ぼくは昨日のおにぎりを探した。

寝ている犬の後ろはよくわからなかったけど、どこにも見当たらない。

「どうやら食べてくれたみたいやな。これはいけるぞ……」

ぼくはいったん竹林からちょっと離れ、持ってきたおにぎりを取り出した。そして、念入りにつばをつけ直してから、そいつが警戒して立ち上がるかどうかギリギリのところまでじわじわと近づいた。

驚かせないように静かな動作でおにぎりを転がした。おにぎりはボーリングのボールのようにうまい具合に犬のほうに転がっていった。

「あ、このままだとあいつに当たっちゃう！」

と、ぼくが思った瞬間、そいつはパッと飛び起き、すごい勢いでおにぎりをガツガツと食べだした。その光景はぼくが椋鳩十の本で読んだそのままだった。

「やった！　これでもうこいつらを飼いならすことができるぞ！」

うれしくて興奮したぼくが思わず身を乗り出したところ、そいつは「ウーッワンワンッ！」とその場でいかくしてきた。

ぼくは焦ってまたダッシュでちょっと離れたところまで逃げたが、犬は追っては来なかった。

「あぶないあぶない、油断は禁物や。三吉だって野犬をさわれるようになるのに1カ月はかかったんやしな」

「まあ、今日のところは、おれの目の前でおにぎりを食べたんやから十分やろ」

と満足して家に帰った。

こんな感じの「野犬おにぎり大作戦」を、ぼくはその後1週間ほど続けていたのだが、それは急に終わりを告げた。

学校が終わって帰り道に竹林をのぞくと、犬たちの気配がない。

しかも、捕獲用のオリがなくなっている！

近所のおばさんに話を聞くと、野犬狩りの人たちに連れていかれてしまったという。

「野犬狩り」とは保健所などによる捕獲事業で、野良犬の多かった当時は狂犬病対策のため積極的におこなわれていた。

針金の輪っかが先端についた長い棒を使って、専門の職員さんたちが犬の首をくくって捕まえていくのをたまに目にしたことがあったが、この空き家の野犬たちがやられるとは思っていなかった。

「せっかくだいぶなついてきたのに……」

と残念に思いながら、ぼくは家に帰った。

「かあさん、空き家に住みついとった野犬たち、保健所に連れて行かれたみたいやねん」

「まあしかたないかもしれへんね。近所の人もこわい言うてたし。別に悪いことはなにもしてへんかったけどなあ」

その何日かあと、ぼくは気になって犬たちがいなくなった空き家に恐る恐る忍び込んだ。

強烈なけもののにおいは残っていたが、犬たちの姿はそこになく、やつらが守っていたことになっていた白骨死体なんかあるはずもなかった。

無人島で暮らすには……

ぼくはザリガニ捕りや魚釣りなど野外で遊ぶのも大好きだったけど、図書室で本を読むのも好きだった。

椋鳩十などの「動物もの」のほかによく読んだ本に、『ロビンソン・クルーソー』や『十五少年漂流記』などの「無人島漂流もの」があった。ズッコケシリーズにも無人島の話はあったし、そのころにやっていたアニメや漫画でもそんな話はたくさんあった。

船なんて四国のおばあちゃんちに行くときに何度か乗ったことがあるだけなのに、「もし遭難して無人島に漂流したらどうしよう」なんてことを真剣に考えながら、それらの本を読みふけった。

人間の生活には「衣食住」が必要だと言われている。

るだろう。

「衣」は服や靴のことで、無人島ではきっと植物の繊維や皮などで作ることにな

「住」は家のことで、丸太などを切り出して小屋を建てたりしないといけない。

そんな無人島暮らしを想像するのも楽しかったけど、ぼくがとくに関心があったのは「食」、つまり食べ物の話だった。

食べ物さえなんとかなれば、あとはどうとでもなるだろうと思っていた。

いつのころからか、漂流するかどうかに関係なく、自分が無人島や山奥でひとりぼっちで暮らしていくにはなにが必要なのかということに興味を持つようになった。

「かあさん、おれがひとりで1年間食べるんやったら、どんぐらいの田んぼがあったらええの?」

「せやなあ、うちの大きいほうの田がだいたい一反あって、あれでウチの7人家族分くらいあるし、あの5分の1もあったらじゅうぶんちゃうかな。畑もそれ

とおんなじくらいあったら、野菜もしっかり作れるわ」

一反はだいたい1000平方メートルなので、その5分の1だから200平方メートル。畑も200平方メートル必要なので、合計400平方メートル。つまり、縦横20メートルずつの土地があって半分でお米、半分で野菜を作ればいいというわけだ。

意外とせまい土地で行けるんやなあとそのときは思った。

「じゃあ、卵を毎日1個食べようと思ったら？」

「そんなん、めんどりが2羽もおったらええわ。でも、そのうち歳とったらうまんようになるから、おんどりも1羽はおったほうがええやろね。そしたら、ヒヨコが生まれるし、順番に育てていったらええねん」

めんどりの後ろをかわいいヒヨコがチョコチョコ歩いてついていく様子を想像して、ぼくはなんだかうれしくなった。

無人島なので、魚や貝なんかは自分で食べる分くらいなら釣ったり捕ったりで

きると思えたので、最後に問題となったのは肉だった。卵をうまなくなったニワトリを食べることはできるが、それだけではさすがにもの足りないだろう。
家の手伝いで、近所にある牛舎に肥料にする牛糞をもらいに行ったときに、牛を見る機会はあった。しかし、その姿はあまりに大きく、自分がこんな動物を無人島に連れて行くというのはちょっとイメージできなかった。
「無人島漂流もの」の物語では、よくヤギや豚なんかがいっしょに漂着して、それを飼育するようになるパターンが多いけど、豚でも体重は100キロ以上あると聞いて、やはり尻込みし、肉の問題だけは解決できなかった。

「これで肉さえなんとかできたら、いまからでも無人島で暮らせるんやけどなあ……」

実際は畑や田んぼもそんなにあまいものではないのだが、そのころのぼくは、両親の畑仕事の様子をそばで見ていたのでそんなふうに考えていた。

ここで「狩猟」という選択肢が出てきてもよさそうなものだが、ぼくの生まれた街には山もなかったので、このときも狩猟をするという選択肢は現実的じゃないと思ってあきらめていた。いまの時代のようにインターネットも普及していなかったので、狩猟に関する情報も当時はほとんど手に入らなかった。

肉は買うもの？　ぼくが猟をする理由

その後のぼくは無人島に漂流することもなくふつうに進学し、子どものころの「猟師になりたい」という漠然とした憧れなんかほとんど忘れ去ったような大学生活を送っていた。

こんなぼくが実際に猟をはじめることができたのは本当に幸運だった。たまたまアルバイト先に狩猟の名人が働いていたのだ。

そして、ぼくはその人に猟を教えてもらい、猟師の道を歩むことになった。

狩猟をはじめてみてわかったのは、自然や動物たちのことを深く知りながら自分の知恵を使って獲物を獲るということが、とてもわくわくすることだということ。

そして、自分自身の力で獲物を獲り、肉を手に入れるというのはやっぱりすごいことだということ。はじめて獲れたシカと向き合ったときはめちゃくちゃドキドキしたし、その生命を奪うときはとても緊張した。苦労して解体したそのシカの肉を友人たちと食べたときは、疲れ果てて味はよくわからなかったけど、とにかくうれしかったのを覚えている。

このわくわくドキドキを小学生のころのぼくに伝えたら大喜びするんじゃないかと思ったのが、今回の本を書こうと思ったきっかけだ。

小学生のときにこんなふうに狩猟を実際にできるってことを知っていたら、ぼくの無人島移住計画もより完璧なものになっていただろう。

狩猟をするようになって、もうひとつよかったことは、動物の命を奪ってその肉を食べることに、責任をもって向き合えるようになったということだ。

動物好きだったぼくは、「自分は動物の肉をいつも食べているのに、その動物の命を奪うのをほかの人にまかせっきりにしているのはずるいんじゃないか」とずっと考えていた。

お金を払って肉を買うということは、お金を払うかわりにほかの人にその動物を育てて殺してもらっているということだ。

それが自分で猟をして獲物の命を奪い、その肉を食べるという立場になることで、ずいぶんと気持ちがすっきりした。肉を食べるために必要なことを全部自分自身の手でできるようになったからだ。

当然、自分と同じくらいの大きさの生き物の命を奪うのだから、いまでもその瞬間はいろいろと複雑な気持ちになる。でも、その分、動物の肉を食べるということについても真剣に考えるし、せっかくいただいた命なのでむだにせず大切に食べたいと思うようになった。


この本では、実際の狩猟のやり方や動物の解体の方法、そして、獲った獲物の肉の料理の仕方から保存方法、皮のなめし方まで紹介している。

猟自体は大人になってからじゃないとできないけど、狩猟っていうのはこんなふうにやるもんなんだということが、この本を読んでもらえばよくわかると思う。

ぼくは狩猟を通して、自然環境や山の動物たちのこと、自分の食べ物のこと、ほかの生命をいただいて生きるということ、山村で引き継がれてきた歴史や文化などたくさんのことを学んだ。この本では、そんなことも伝えられたらいいなと思っている。

1

猟（りょう）に出よう！

ぼくがやっているのは「わな猟」

狩猟にもいろいろある

狩猟というと、犬を連れた猟師さんが山に入って、鉄砲で獲物をうつ様子を思い浮かべる人がほとんどだろう。でも、ぼくは鉄砲を使わない。ぼくが使うのは「わな」だ。

日本では、狩猟は大きく3つに分けられる。「鉄砲」「網」「わな」だ。

鉄砲での狩猟は、猟犬を使ったりして集団で獲物を追い立てる「追い山猟」のほかに、池や川に浮かぶカモや、茂みに隠れているキジ、ヤマドリなどをねらう「鳥うち」、獲物のこん跡を調べて追跡する「忍び猟」、獲物がよく出没する辺りを車などを使って順番に見て回る「流し猟」などがある。

1 鉄砲

鉄砲を使った猟。鳥をねらう「鳥うち」、猟犬とともに獲物を追う「追い山猟」などがある。

鳥うち

追い山猟

むそう網

2 網

網を使って鳥を捕まえる。河川敷や
刈りを終えたあとの田んぼでスズメ
カモを獲る「むそう網」などがある。

トラバサミ

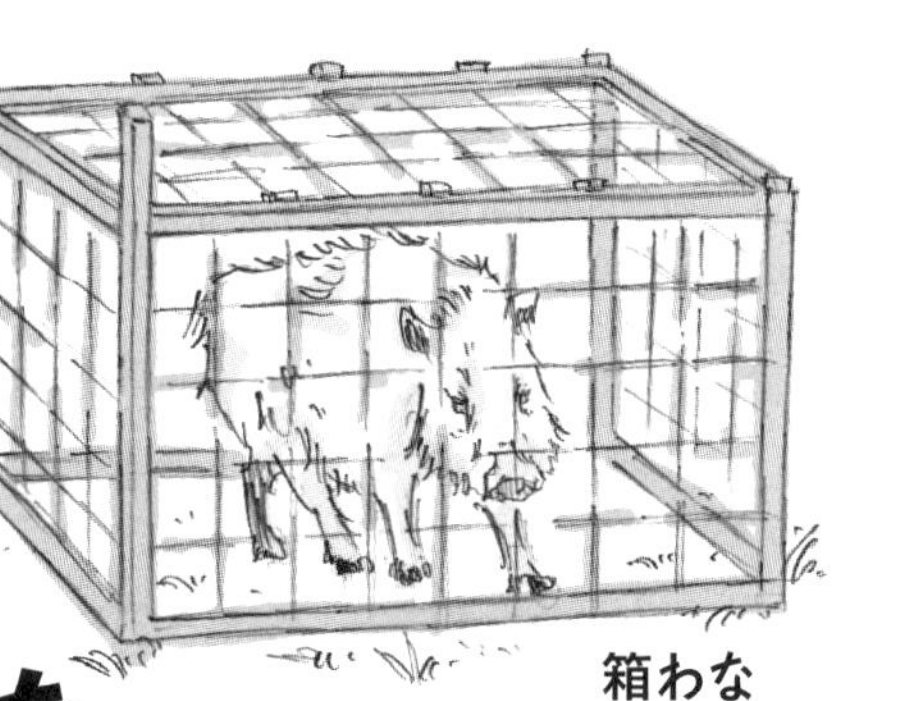

箱わな

落とし穴

3 わな

この本で紹介する「くくりわな」以外にも「箱わな」などがある。「トラバサミ」や「落とし穴」もわな猟の一種だが、現在は禁止されている。

網での狩猟は、水田や河川敷に仕掛けた網でスズメやカモを獲る「むそう網」、池から飛び立つカモに大きな網を投げて捕まえる「投げ網」などがある。

わなでの狩猟は、入ったら出られない仕組みの箱でイタチやアライグマなどを獲る方法、シカやイノシシなどの大きい獲物をオリを使って獲るものなどがある。これらはまとめて「箱わな」と呼ばれる。

わなというと、よくマンガなどで出てくるギザギザの歯がついて、踏んだら足がはさまれる「トラバサミ」が有名だが、日本では狩猟で使うのは禁止されている。トラバサミははさんだ足を傷つけて、掛かった動物を苦しめてしまうからだ。

こんなふうに、ひと口に狩猟といってもいろんなやり方があるが、ぼくがやっている猟は、「くくりわな」と呼ばれるわなを使う。簡単に説明すると、動物たちが歩くけもの道に小さい落とし穴のようなものを掘っておいて、動物の足が穴に入ったら仕掛けがはたらいて、足をワイヤーでキュッとくるという仕組みだ。

そのワイヤーの反対側は近くにあるじょうぶな木にしばりつけてあるので、わなに掛かった動物たちはその場から逃げられなくなるというわけだ。

ちなみに、動物がまるごと落ちるような大きな落とし穴は間違えて人間が落ちると大変危険なので、法律で禁止されている。

鉄砲を使わないわな猟

なぜ、ぼくが鉄砲を使わないかというと、子どものころから考えていた「無人島に漂着したときに生きのびるための技術」がやっぱり関係している。

『ロビンソン・クルーソー』や『十五少年漂流記』の子どもたちは無人島に漂着したとき、うまい具合に鉄砲を持っていたけど、あれをはじめて読んだときは、「そんなに都合よく鉄砲なんか持って漂流するわけないよなー。なんかずるい」と正直思っていた。

外国と違ってふつうの人が鉄砲を持っていることがない日本では、「鉄砲を持

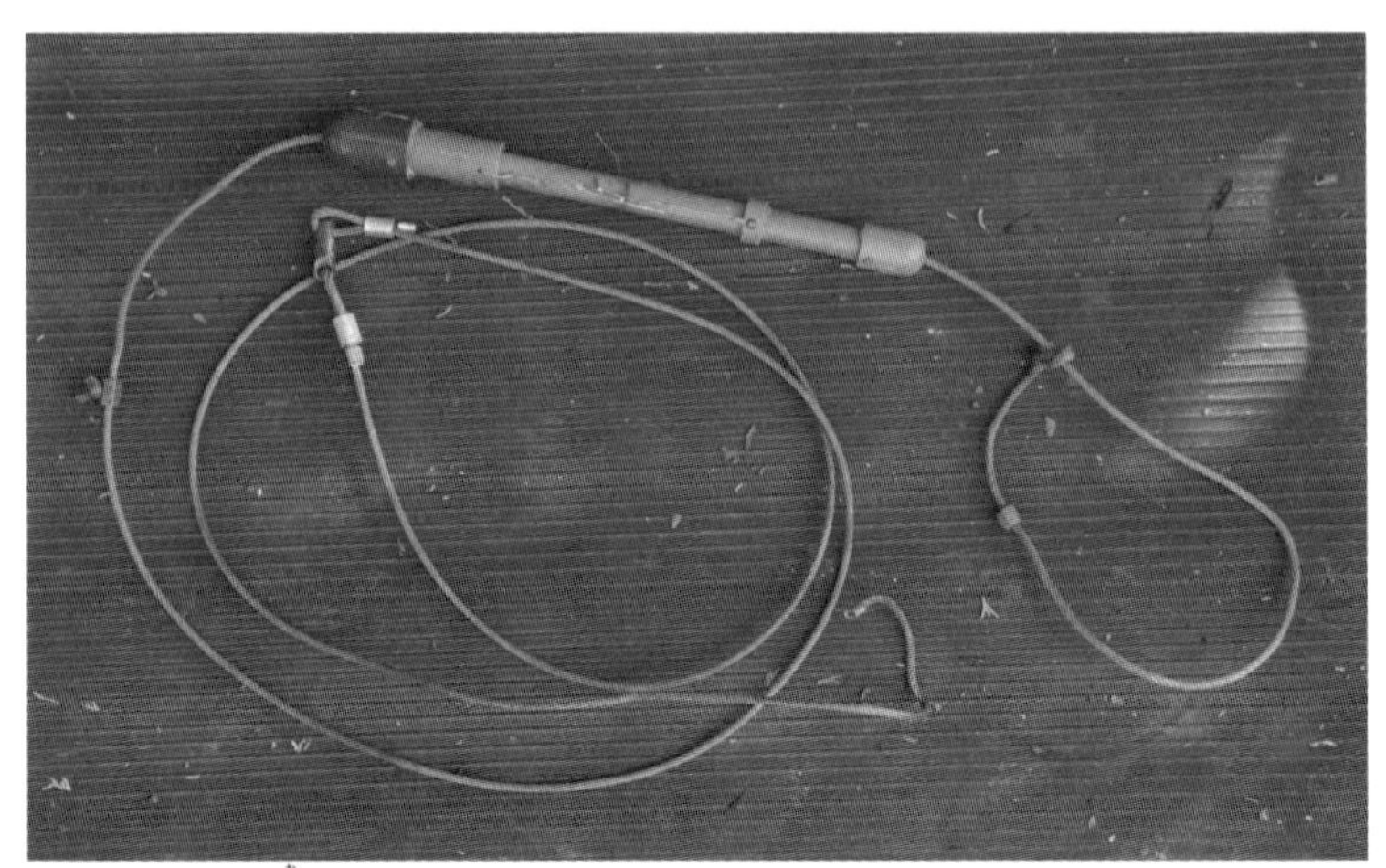

ぼくが使っている押しバネ式の「くくりわな」。「くくりわな」にはほかに引きバネやねじりバネを使ったものなどいろいろなタイプがあるが、ワイヤーで獲物の足をくくるという点は共通だ。

って漂流」はまずありえない。

また、人里離れた山奥で暮らすにしても、鉄砲を使っていたら、火薬は作れないので弾を買いにいかないといけない。それよりは、自分で手作りできるわなのほうがぼくには向いていると考えたからだ。まあ、ナイフくらいは欲しいけどね。

ぼくがいま使っているくくりわなは、ホームセンターで買った水道用のパイプや金属性のワイヤー、バネなどを使って作っているけれど、よくしなる木や植物の繊維、竹などを使えば、同じようなわなが再現できる。

実際に昔の人はそうやって自然界にあるもの

だけを加工して、大きな動物を捕まえていた。どういった種類の木を使えばいいかという知識も引き継がれていたし、地域によってはいまでもそういうスタイルで猟を続けている人もいる。つまり、わな猟はひとりでできる最も原始的なタイプの猟だということだ。昔の狩猟では弓矢も使われていて、これにも興味があったけど、いまの日本では禁止されていることを知って、残念ながらあきらめた。

人工物で作ったくくりわなには、動物が気にするにおいがいろいろと染みついている。金属や油、接着剤などのにおいだ。そのままだと、とくに嗅覚の鋭いイノシシは、どんなに上手に隠しても、そのにおいに気づいてわなを避けていってしまうので、においを消しをする必要がある。

におい消しにはいろいろな方法があるが、ぼくは、カシやナラなどの木の皮を煮込んだ汁に漬け込んでおく。何日もグラグラと大鍋を火にかけて作った煮汁は真っ黒で、タンニンという物質を含んでいる。これはにおいを消すだけでなく、ピカピカの金属をどす黒い色に染め上げてくれて、山で目立たなくする効果もある。

「くくりわな」の仕組み

ぼくが使っている押しバネ式の「くくりわな」。塩ビ管で作った2つのパーツとバネの中に1本のワイヤーを通してある。

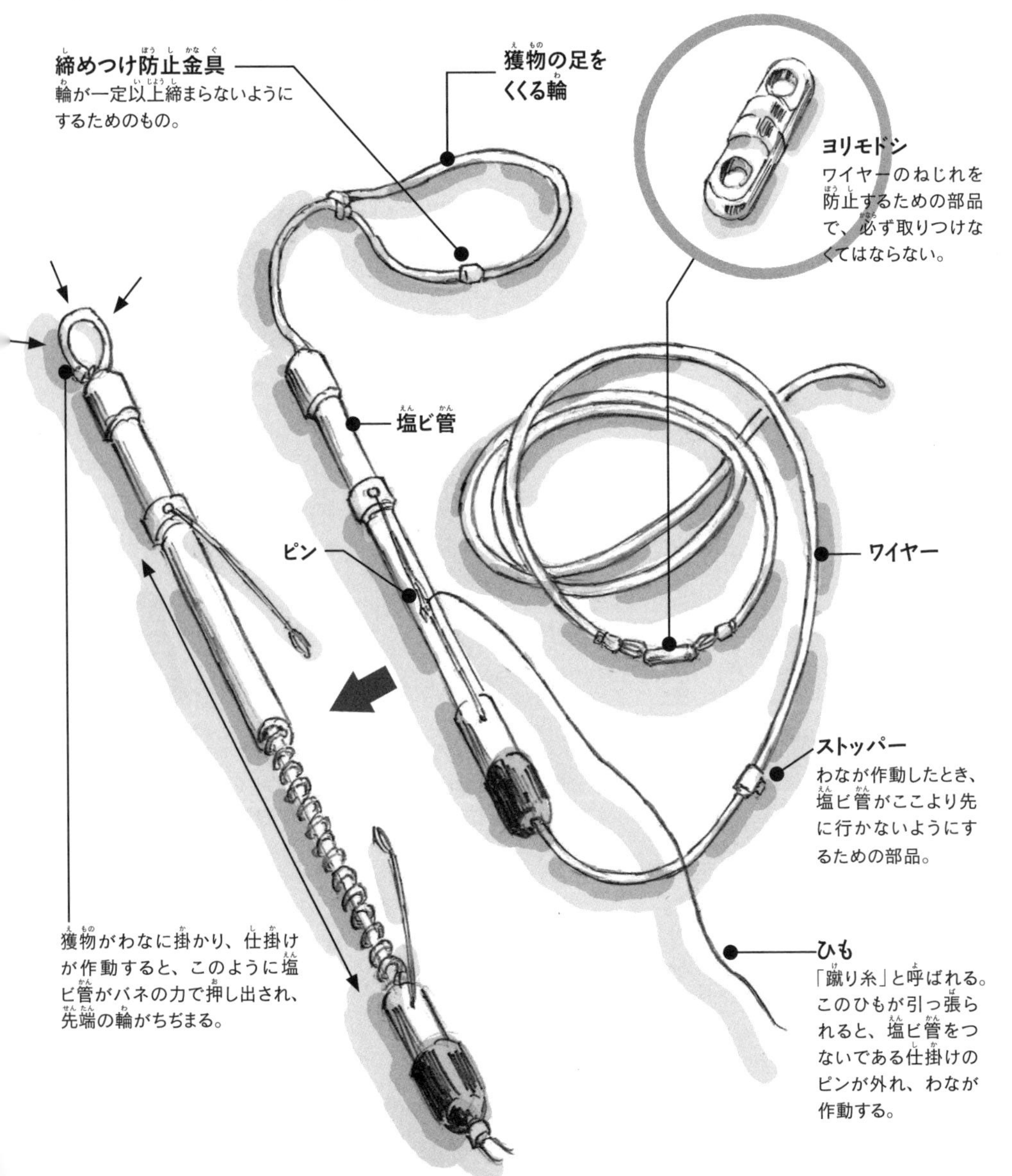

締めつけ防止金具
輪が一定以上締まらないようにするためのもの。
獲物の足をくくる輪
ヨリモドシ
ワイヤーのねじれを防止するための部品で、必ず取りつけなくてはならない。
塩ビ管
ピン
ワイヤー
ストッパー
わなが作動したとき、塩ビ管がここより先に行かないようにするための部品。
獲物がわなに掛かり、仕掛けが作動すると、このように塩ビ管がバネの力で押し出され、先端の輪がちぢまる。
ひも
「蹴り糸」と呼ばれる。このひもが引っ張られると、塩ビ管をつないである仕掛けのピンが外れ、わなが作動する。

くくりわなの輪は直径12センチ以下と決められている。これはクマが掛からないようにするためで、クマがいない地域ではこの規制がないところもある。

獲物がワイヤーの輪の中を踏むようにわなを仕掛け、反対側のワイヤーは近くの木に結んでおく。実際は落ち葉や土などでおおうのでわなは見えない。誰が仕掛けたかわかるように、必ず名前や住所を書いたプレートをつける。

猟師ってどんな人？

日本で狩猟をするためには、車の運転免許と同じように、試験を受けて免許を取る必要がある。それを狩猟免許と言う。わな・網猟免許は18歳から、銃猟免許は20歳から取ることができる。最近はシカやイノシシが増えてきているので、その肉を売ったり、農作物に被害をあたえる動物を捕まえて、お礼にお金をもらったりして生活する人も出てきている。でも、それは少数で、ほとんどの人はふだんは別の仕事をしながら猟をしている。純粋に趣味として楽しんでいる人もいるし、兼業農家のように兼業猟師だという人もいる。ぼくもふだんは週の半分くらいを地元の運送会社で働いて、残りの日を中心に山に入っている。ぼくの場合は食料調達がメインの目的なので、狩猟のことは職業でも趣味でもなく「生活の一部」だと考えている。

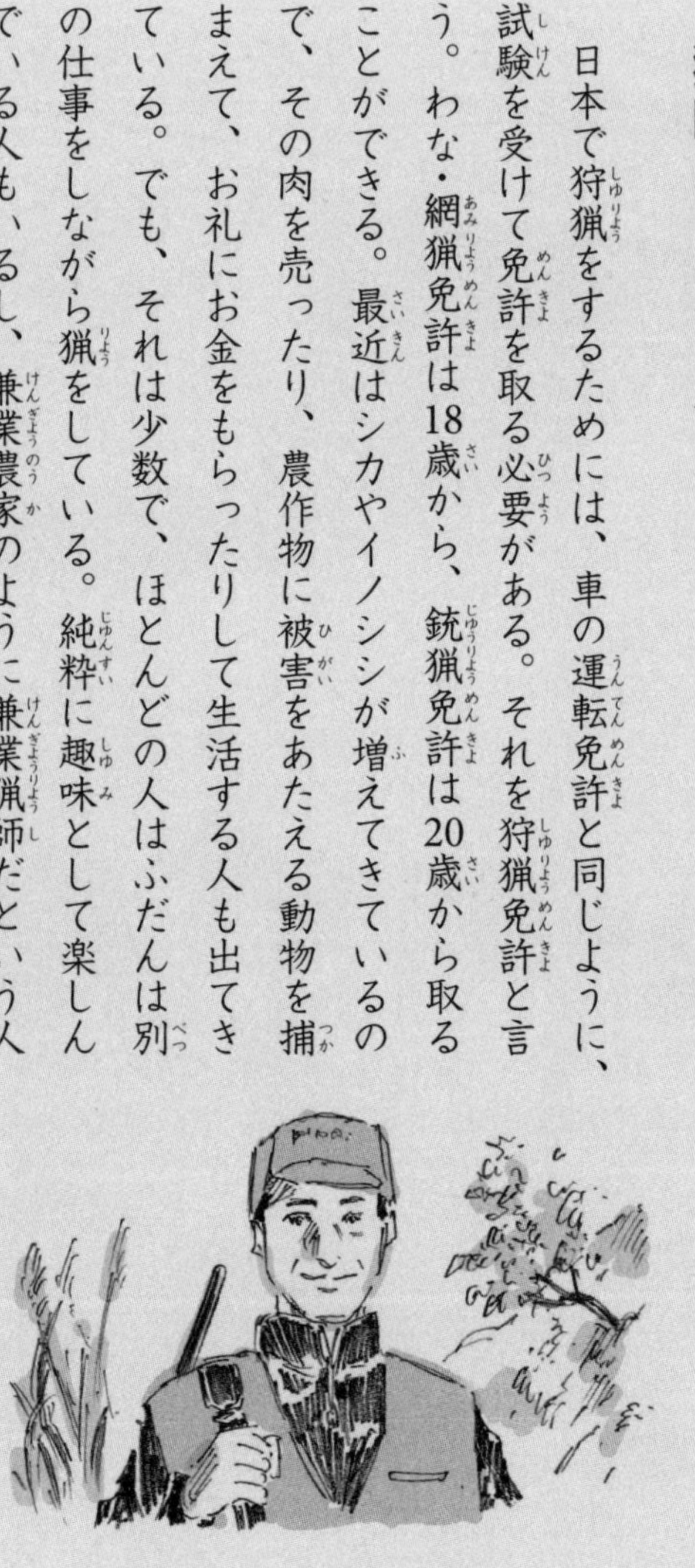

山に入って動物たちのこん跡を探そう！

猟師は山の名探偵

くくりわなで狩猟をするときに一番大切なのは、ねらう獲物がどういう行動をしているのかを考えることだ。

犬を使って追い出したり、鉄砲を持って追いかけるスタイルと違って、わな猟の場合は、そこに動物が来てくれないとどうしようもない。ぼくはやらないけど、エサをまいておびき寄せる方法もあるが、それでも動物が通るところに置かないと意味がない。

動物たちは種類ごとに特徴的な行動パターンをもっている。そして、その行動のこん跡が山の中にはあちらこちらに残されている。それを見つけるのがわな猟の基本だ。

言ってみれば、猟師は「山の名探偵」だ。現場に残されたさまざまなヒントを見つけ出し、動物たちがどんな動き方をしているのか推理してみよう。

現場に出る前に、最低限の知識や情報を下調べしておくことも探偵の大切な仕事だ。山の探偵の場合は、ねらう獲物の習性や暮らしぶりを知っておかないといけない。

例えば、その動物の大好物はなんなのか、ふだんはどんな場所で寝ているのか。家族で暮らしているのか、群れで暮らしているのか、単独で行動しているのか。

こういった知識は、図鑑などでも十分仕入れられる。あとは、自分が暮らす地域にどんな動物が住んでいるのかという情報も重要だ。必死でシカの知識を手に入れても、自分が暮らしている地域にシカがいなかったらなんの意味もない。

オスイノシシは単独で行動し、メスイノシシは群れで行動する。雑食性でタケノコやドングリを好んで食べる。ヌタ場でよく泥浴びをする。

シカは一般的に群れで生活をする。山と平野部の境目あたりを好み、草食性で、草だけでなく木の皮なども食べる。

ここでは、ぼくがいつもねらうイノシシのこん跡を順番に見ていこう。

前にも書いたように狩猟自体は大人になってからしかできないけど、山に入ってこん跡を探すのは自由だ。子どものころからそういった訓練を積んでおけば、大人になって狩猟をはじめたときにとても役に立つ。

見えない獲物の姿を想像しながら山を歩くのはとてもたのしい。目で見るだけじゃなく、音やにおい、触った感じや、ときには味も確認しながら、自分の感覚を総動員して山の探偵になりきることが重要だ。

名探偵になるための秘訣は、相手(獲物)の気持ちになって考えるということだ。本物の探偵も「自分が犯人ならどう考えるか」ということを常に意識しながら仕事をするそうだ。

「自分がイノシシならどの道を通るか。そして、その理由は……」

猟師ならいつもこんなふうに考えながら山を歩く必要があるということだ。

ぼくは小学生の息子ふたりとよくいっしょに山に入るけど、猟師であるぼくよりも彼らのほうが先に動物のこん跡を見つけることもある。

これは、背の低い子どもの目線のほうが動物たちの目線に近いことが影響している。動物の気持ちになって考えるときに、実際にその動物の目線の高さまでかがんでみると、彼らが見ている世界が見えて面白い。

ネズミやイタチなんかのこん跡を探したかったら、地面に腹ばいになってみればいい。思わぬところに、枝の下の通り道があったり、葉っぱの裏に残された泥なんかも見つかるはずだ。

ただ、実際に大人の人たちが狩猟をしているような山に入るのはとても危険なので、子どもたちだけでは絶対に行かないようにしよう。

アニマルトラッキング

猟師がおこなうような獲物のこん跡探しを、観察を目的におこなうのがアニマルトラッキングだ。自然博物館の観察会などのイベントでやっていることがあるので、参加してみるのも面白い。動物の生態にくわしい学芸員さんなどがていねいに教えてくれる。実際に動物の姿が見られなくても、山に残されたこん跡を見るだけでこんなことがわかるのかときっと驚くはずだ。

獲物を見つけるヒント　その1「けもの道」

動物のこん跡を見つけるには、むやみやたらと山の中を歩いていてはダメだ。まず、「けもの道」を見つける必要がある。ぼくが実際にわなを仕掛けるのもけもの道だ。けもの道とは、人間が作った登山道などとは違い、動物たちが何年も同じルートを歩くことで踏み固められてできた道だ。このけもの道は、山の中で何本も枝分かれしながら広がっている。

「この山の感じだとシカならだいたいこのあたりに多いかな。イノシシならここらをエサ場にしていて、寝ているのは尾根をひとつ越えた笹ヤブあたりやな」

慣れてくると地形を見るだけで、こんなことまでわかるようになる。

経験をつめば、その見立てから推測してだいたいどのあたりによいけもの道があるか、現地に行かなくてもイメージできるようになるが、最初はなかなか難しいだろう。

まずは山に入ってみて、斜面をよく観察してみよう。すると、20〜30センチくらいの幅の段差のような、道らしきものが見つかるはずだ。

最近はシカやイノシシの生息数が全国的に増えているので、山の中はけもの道だらけになっている。平らなところでも、じっくり見るとそこだけ落ち葉が踏み固められていたり、逆に落ち葉が不自然にめくれ上がっているようなところがある。笹やシダなどが茂ったヤブなら、トンネル状になっている場合もある。

これがけもの道かと思ったら、そこに動物のうんちや足跡などがないかどうか探してみるといい。見つかったら、それがけもの道で間違いない。

けもの道が見つかったら、それをたどっていってみよう。ここからは探偵になったつもりで、なにか気になるものがあったらすべてチェックしないといけない。

ひと口にけもの道と言っても、ねらっているシカやイノシシだけじゃなく、タヌキやキツネ、アナグマやイタチ、ウサギやクマまで通っているけもの道もある。これらの動物たちみんなが使うけもの道もあれば、ほとんどイノシシしか使わない専用の道もある。わなを仕掛けるにはそういう専用道のほうが都合がいい。

動物ならなんでも獲っていいわけではない。獲っていい動物の種類もちゃんと決められている。例えば、シカやイノシシは狩猟獣といって獲ってもいい動物だが、国の特別天然記念物にも指定されているカモシカは非狩猟獣なので獲ってはいけない。クマは狩猟獣だが、生息数が少ない都道府県では捕獲が禁止になっている場合もある。「動物がいっぱい通ってそうだから、なんか獲れるだろう」な

獲ってもよい動物の例

獲ってはいけない動物の例

狩猟で獲ってもよい動物は、鳥類28種、獣類20種が「狩猟鳥獣」として定められている。カモシカやニホンザルなどの獲ってはいけない動物は「非狩猟鳥獣」と呼ばれる。

んで軽い気持ちでわなを仕掛けてはいけないということだ。

けもの道は何本も平行して続いていたり、途中で枝分かれしたりしている。その中でねらう獲物のこん跡が最も多く見つかるけもの道が、彼らが一番よく通っている「気配の濃い」けもの道だということになる。イノシシをねらうなら大好物のドングリの木が多いエリアのまわりを探してみたら、きっとよいけもの道が見つけられるだろう。

獲物を見つけるヒント　その2「足跡」

けもの道でまず発見したいのは足跡だ。

猟の季節は落ち葉が積もっているので意外と見つけにくいが、それでも尾根筋の地面が見えている場所やぬかるんだ場所では、いろんな足跡が発見できる。冬でも葉っぱが緑のままのスギやヒノキなどの針葉樹の森では、地面が見えているので、足跡を見つけやすい。

山の動物たちの足跡

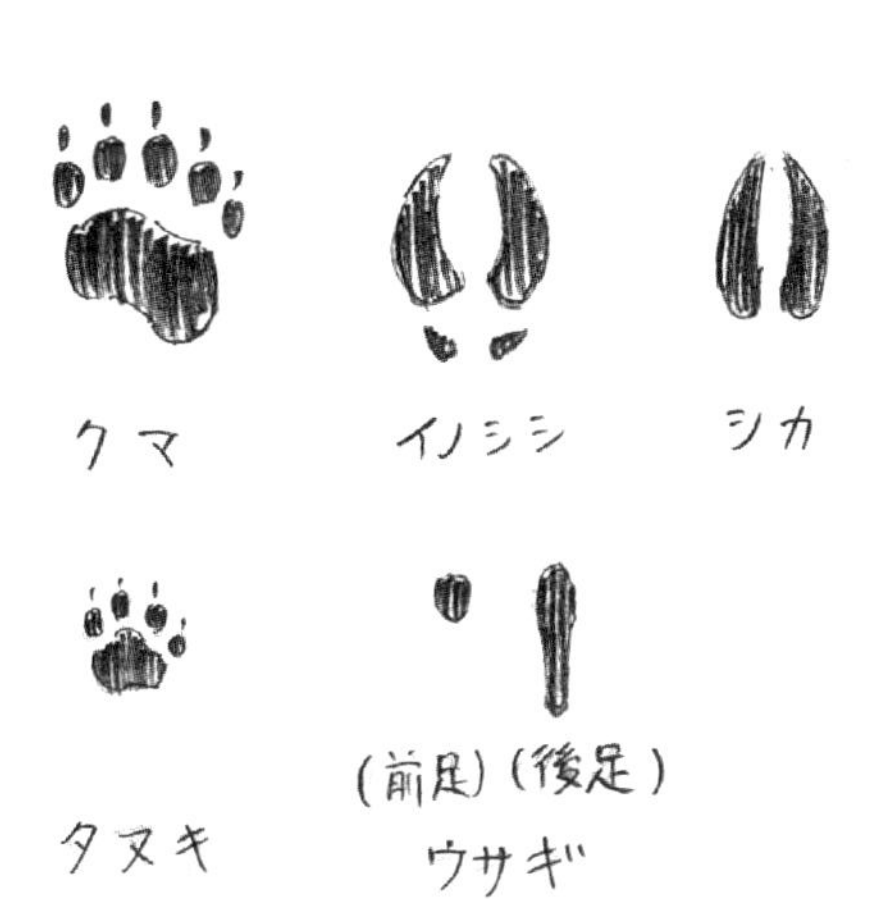

抑え爪（後ろの小さいヒヅメ）の跡があるかないかでシカかイノシシかが判断できる。

ウサギの歩行跡

ウサギはこのように後足が前足の先に出るのが特徴。

動物の種類ごとの足跡の違いを覚えておけば、足跡を見るだけでそこをどんな動物が歩いたかわかるようになる。さらに慣れてくると、その足跡の大きさや踏み込んだ深さからだいたいどれくらいの大きさの動物なのかも判断できる。

ほかのこん跡と違って、足跡はその獲物が歩いた方向もわかるのがよい。けもの道に残る足跡をしっかりチェックしておけば、獲物が往復で使うけもの道もあれば、いつも一方通行でしか使わない道があることもわかってくる。

ちなみに、ぼくは足跡を確認したら、

足で踏んづけて消しておくことにしている。猟のシーズンは毎日山を歩くので、そうしておくと、新しい足跡が増えたらすぐに気づくことができる。

逆に、ひとつの足跡を残しておいて、それが何日経つとどれくらいくずれていくのかを観察すると、足跡を見極める目がさらに鍛えられる。

足跡の研究をするには、雪の降った日に山に入るのが一番だ。

ぼくが住んでいる京都市はあんまり雪が降らないけど、それでもひと冬に何回かは雪が積もることがある。

そんな日は、ぼくは大喜びで朝から山に入る。

それは自分がねらっている獲物の足跡を確認するためでもあるけど、ふだんなかなか見ることができないウサギやテンなどの小動物の足跡もたくさん見ることができるからだ。鉄砲で猟をする人たちも獲物の追跡がしやすくなるので、雪の日を心待ちにしている。

山を歩くときは、自分がねらう獲物以外の動物のこん跡や、昆虫、植物につい

野山に生えるヨウシュヤマゴボウ。本来、シカはあまり食べない。

てもいろいろと観察しておくことも重要だ。

山の中の生き物は生態系という大きなつながりの中で暮らしていて、山のいろんなことにくわしくなっておくことは、結果として自分がねらう獲物のことをより深く知る手がかりにもなる。

例えば、シカがあまり食べないヨウシュヤマゴボウという植物がある。この植物はもともと日本になかった植物で外来種と言われる。この植物の黒紫色の実の汁が手につくと、派手な紫色に染まる。どこにでも生えてる植物なので、遊んで服につけて帰って、お母さんに怒られたことがある人もいるかもしれない。

この植物には毒があり、草食動物であるシカもあまり食べない。でも、ほかに食べ物がないと仕方なく食べることもある。つまり、ヨウシュヤマゴボウの葉っぱまでシカが食べているような山は、それくらいシカが増えて食べ物が不足しているということだ。

ほかにもオオセンチコガネなどの、動物のフンに集まる甲虫のことを知っていれば、その虫が飛んでいるのを見かけるだけで、「その山には動物が多いのでは?」という推理もできるようになる。

獲物を見つけるヒント　その3「木の傷」

さて、けもの道の探検に戻ろう。

けもの道をどんどん歩いて行くと、道の両側に生えている木のいろんなところに傷がついているのが目につくだろう。

木の皮がめくれてしまっているのもある。

実はこれも動物たちの仕業だ。木の種類によってはシカが好んで食べる樹皮もある。我が家の裏山だとリョウブという木の皮がよく食べられている。シカは、草が本当は大好きだけど、食べ物がなくなったら、これまで食べなかった木の葉っぱや皮まで食べるようになると言われている。

実際にシカが増えた山では、樹皮が食べられ過ぎて木が枯れてしまうという問題も起きている。植林されたスギやヒノキの皮を食べることもあり、林業をやっている人たちはたいへん困っている。また、クマも「クマはぎ」と言って木の皮をはぐ習性がある。

食べるだけではなく、シカやイノシシは角や牙でも木に傷をつける。

日本のシカの角は毎年生えかわり、そのたびに立派になっていく。

最初に生える角はピンとまっすぐの1本角だけど、その後、生えかわるごとに枝分かれした角が生えるようになってきて、4~5歳になると立派な三叉の角に

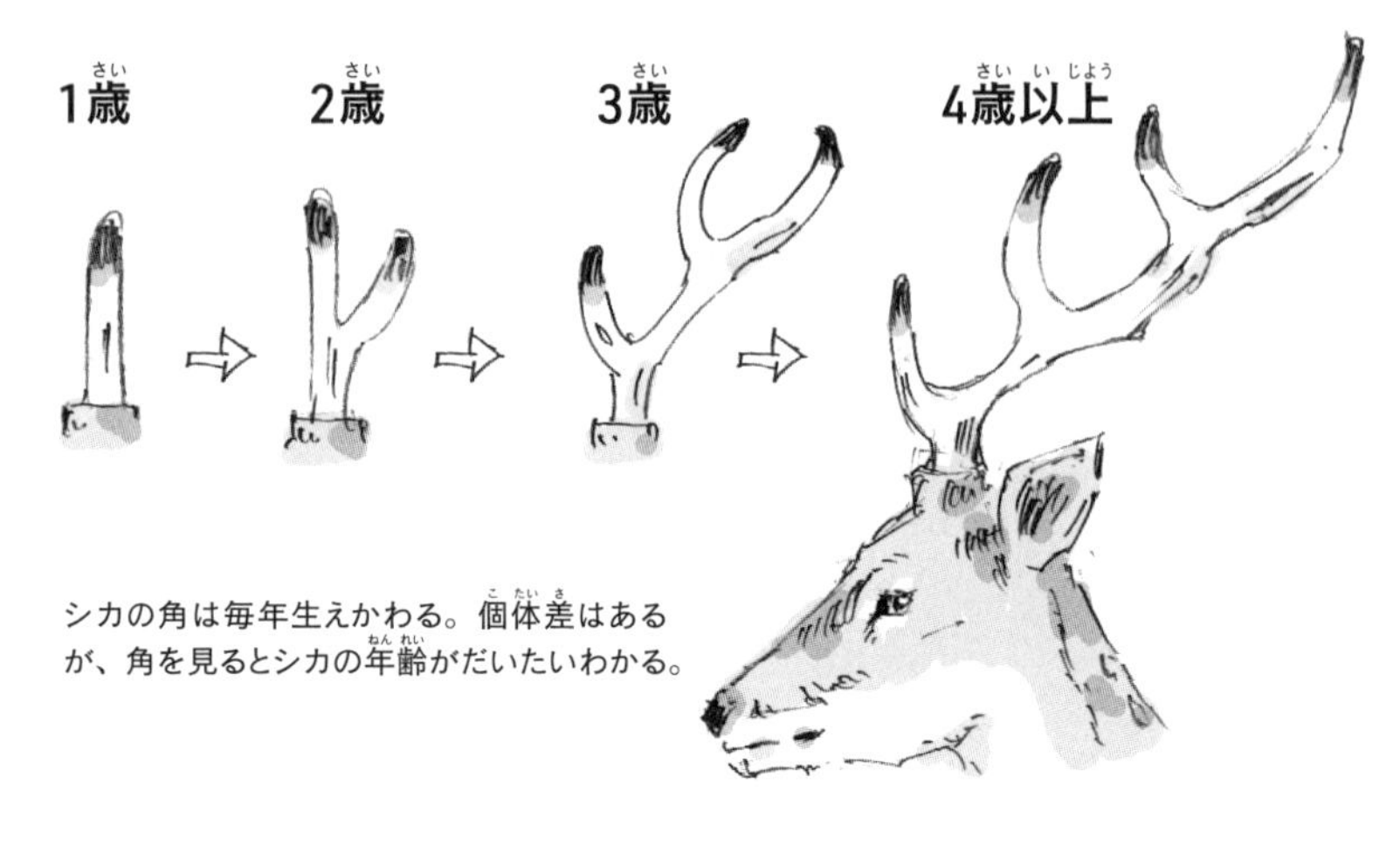

シカの角は毎年生えかわる。個体差はあるが、角を見るとシカの年齢がだいたいわかる。

なる。
生えかわった角は最初はやわらかく、「袋角」と呼ばれ、秋が近づくにつれてだんだんと固くなってくる。そして、秋はシカの恋のシーズン、発情期だ。ほかのオスとの争いやメスたちにかっこよく見せるために、オスは木にこすりつけてその自慢の角をピカピカに研いでいく。その「角研ぎ」の傷が木にはたくさん残っている。

小さくナイフで削ったように見える傷は、オスイノシシがつけた「牙かけ」だ。

イノシシのオスはするどい牙を持っている。それで天敵から身を守ったり、オス同士のけんかに使う。

イノシシにとって牙はその強さの象徴だ。だから、

オスイノシシの「牙かけ」の跡。

オスイノシシには下あごに立派な牙がある。

オスジカの「角研ぎ」の跡。

自分のなわばりをアピールするときに、その牙で木に傷をつける。

「おれはこんなに立派な牙を持ってるんだぞ！」

牙かけにはイノシシのこんな気持ちが込められているんだろう。

猟師としての経験を積んでいけば、けもの道のそばの木の傷やめくれた皮を見るだけで、そこで繰り広げられる動物たちのさまざまな行動や仕草がイメージできるようになっていく。

獲物を見つけるヒント　その4「泥のついた木」

けもの道に生えている木を注意して見ると、傷はついていなくてもなんだか汚れているような木がある。

これは実は動物たちが泥を塗りつけた跡だ。

と言っても別に動物たちが泥んこ遊びをしているわけじゃない。

野生動物の中には、体温を下げるためや自分の体についたダニを落としたりす

イノシシが泥浴びする「ヌタ場」。

背の低い樹木の葉には、イノシシのつけた泥が見つかる。

る目的で泥浴びをする習性を持つものがいる。ぼくがねらうイノシシも泥浴びが大好きだ。

イノシシが泥浴びする場所は「ヌタ場」と呼ばれていて、山の中のいろんな所にある。そこで全身泥まみれになったイノシシがけもの道の歩くのだから、いたるところに泥がつくわけだ。

猟の季節（冬）には、山の中の多くの木は葉っぱを落としているけれども、常緑樹と呼ばれる、1年中緑の葉っぱをつけたままの木もある。たとえば京都のあたりならカシやシイ、ヤブツバキ、ヒサカキ、アセビなどだ。

けもの道にそんな木が生えていたら、その葉っぱをよく観察してみよう。とくに、けもの道にかぶさるように生えている背の低い木がねらい目だ。

葉っぱの表面についた泥は、雨や朝露ですぐに落ちてしまうけど、裏面はそうでもない。イノシシが通っているけもの道なら、裏面はドロドロに汚れているはずだ。

木の幹にも、べっとりと泥がついているものも見つかる。

これは歩いていてたまたまついたというよりは、わざと体をこすりつけたような感じだ。泥といっしょに自分のにおいをそこに残し、なわばりをアピールしているとも言われている。

イノシシが好きなのは松の木で、牙で傷をつけて松ヤニを出して、それに体をこすりつけている。古い猟師の言い伝えで「全身を松ヤニでガチガチにかためて銃弾も通さないイノシシがいる」という話があるけど、そんなイノシシにはぼくはまだ会ったことはない。

発情期のオスジカも泥浴びをして、木に泥をつけることがあるので、イノシシ

との違いをよく観察する必要がある。

慣れてくると、泥の跡を頼りに1キロメートルくらいずっと追跡できることもある。

「泥浴びをしたあと、イノシシがここで立ち止まって身ぶるいしたように泥が散らばっている」

「そのあと、いつものお気に入りの松の木に体をこすりつけている」

「そして、メインのけもの道をすすみ、途中から笹ヤブに入っていった」

という感じで、目を凝らしながら泥の跡を探し、イノシシの行動を推理する。

こういうときは、本当に犯人を追跡する探偵になったような気分でなんともおもしろい。別にイノシシは悪いことはしていないから犯人じゃないけどね。

実際に、事件を起こした犯人が山に逃げ込んだときには、警察から地元の猟師に協力要請が来ることもある。猟師は山の地形にもくわしいし、こういったこん跡を見分ける技術を持っているからだ。ぼくが聞いた話では、けもの道のクモの巣の張り方がいつもと違うことに気づいた猟師がみごとに犯人の逃走ルートを突き止めたということもあったそうだ。

獲物を見つけるヒント　その5「うんち」

けもの道でうんちを見つけられたら完璧だ。

うんちなんて言うと下品だと思われるかもしれないが、動物のこん跡調べでうんちはとても大切なものだ。

うんちの形を見れば、その動物の種類がわかる。うんちの大きさで動物の大き

シカのうんち

イノシシのうんち

さもわかる。

昨日の夜にしたばっかりのうんちならまだつやつやしていてにおいもきついけど、何日も前のものならだんだん乾いてきて、何週間も経つとくずれて土に戻っていく。なので、うんちを見れば何日前にその動物がそこを通ったかが想像できるというわけだ。

さらに、人間でも下痢のうんちもあれば、きれいなうんちもあるように、イノシシも体調や食べ物によって、うんちのパターンもいろいろかわってくる。食べ物が違うとうんちの色もかわる。場合によってはうんちの中に果物の種やドングリの殻なんかが残っていることもある。

こういうことまで観察すれば、そのイノシシがなにを食べているかがわかるようになる。

例えば、うんちの中に柿の種があるのを見つけたら、そのイノシシは近くの柿の木が生えている場所をエサ場にしていることがわかる。

つまり、そのけもの道をイノシシが通ったことがわかるだけでなく、柿の木が生えているほうまで続いているけもの道をそいつが歩いているということまで想像できるわけだ。そして、「近くで柿の木が生えてるのは？」と考えれば、現地に行かなくてもそのイノシシの行動エリアがイメージできる。

ただ、うんちには病原菌がついていることもあるので、直接触らずに棒でつついたりほじったりするようにしよう。

ぼくは、イノシシのうんちの中に入ったマヨネーズの容器の切れ端を見たことがある。山に暮らす野生動物にとって人間の食べ物はとんでもないごちそうだ。キャンプ場の残飯なんかも動物たちはよくあさっている。

奈良公園のシカが、観光客の捨てたビニール袋を食べて死んだという事件もあったけど、動物たちは自然界に存在しないビニールを区別できず、うっかり食べてしまうのだ。実際、野生動物の歯型のついたマヨネーズ容器は山で見かけるゴミの定番だ。山の中でそんなものを見かけると、なんとも複雑な気分になる。

野生動物に人間の食べ物をあげてはいけない

山の中でかわいい野生動物を見かけたら、エサをあげてみたくなるかもしれない。でも、野生動物に人間の食べ物の味を覚えさせるといろいろと問題が起きる。一度、野菜の味を覚えたシカ、イノシシは畑を荒らすようになるし、お菓子や果物の味を覚えたサルはお墓のお供え物を盗んだり、子どもからお菓子をひったくったりするようになる。北海道では、観光客がキタキツネに食べ物を与えすぎたために、食べ物をもらえると思って道路に出てきたキタキツネが交通事故にあうということもしばしばある。よかれと思ってエサを与えることが、結果としては人間にとっても野生動物にとっても不幸な事態を招くことになる。

ここまで見てきたら、いろんなこん跡からだんだんとねらう獲物であるイノシシのイメージができ上がってくるはずだ。

ちなみに、いろんなサイズのイノシシのこん跡が見つかったら、それはメスが子どもたちを引き連れている群れである可能性が高い。なぜならオスのイノシシは大人になったら基本的には1頭だけで行動する習性があるからだ。

山の中のいろんなこん跡からその動物の正体や行動を推理するのは、「山の探偵」の醍醐味だ。

ここで見てきた以外にも、「寝屋」と呼ばれるイノシシの寝床や、イノシシがエサを探した跡である「鼻かけ跡」、食べたドングリの殻などの「食べ跡」などさまざまなこん跡が山には残されている。実際に山を歩くことがあったら、ちょっとした変化も見逃さずに推理してみよう。

そして、狩猟のいいところは、最終的に獲物を捕まえることができたら、その「答え合わせ」ができるところだ。

体重が50キロくらいのメスイノシシだと思っていたのに、獲ってみたら80キロもあるオスイノシシだったなんてこともある。

自分が想像した通りの獲物がわなに掛かったときはやっぱりうれしい。

さあ、次はいよいよ捕まえるためのわなを仕掛けよう。

わなを仕掛けよう

どこにわなを仕掛けるか

わなを仕掛けるのは、けもの道の中でも幅が狭くなっていて、動物が絶対にそのあたりを踏むという場所だ。横に木が生えていたり、倒木があったりして動物たちがちょっと苦労をして通ってそうなあたりが、わなを仕掛けるのにいいポイントだ。

けもの道の幅(はば)が狭(せま)く、動物たちの歩く場所が決まっているようなところがわなを仕掛(しか)けるポイントだ。

獲物(えもの)のこん跡(せき)がたくさんあっても、けもの道が広すぎては、うまくわなを踏(ふ)んでくれないし、わなを蹴飛(けと)ばされてしまうこともある。また、エサになるドングリがたくさん落ちているような場所では、イノシシはうろちょろするので、けもの道もたくさん枝分(えだわ)かれしていて、ねらいをしぼりづらい。

そういったエサ場と寝屋(ねや)をつなぐ通路のようなけもの道が見つかればベストだ。

あとは、わなを仕掛(しか)けるためには、わなの仕組みのところで説明(せつめい)したようにワイヤーの反対側をしばりつけておく木が生えているところじゃないといけない。わなに掛(か)かった動物たちの暴れる力はすごいので、必ずじょうぶな木にしばりつけること。間違って枯れ木なんかにしばりつけたら、動物がその枯れ木を根っこごと引っこ抜いて突進してきて、大ケガするような事故が起きてしまうかもしれない。

もうひとつ、わなを仕掛ける場所選びで重要なことは、実際に獲物が獲れたときにそこからひとりで運び出せるかどうかだ。

あんまり山奥だったり、きつい谷や大きな川の反対側だったりすると、何十キロもある動物をひとりで運び出すのは大変だ。毎日の見回りだって一苦労だ。

ただ、逆にあんまり人里近くでもいけない。

犬の散歩や山仕事、山菜採りなどで山に入る人はけっこういる。そんな人たちが間違ってわなを踏んだらびっくりするし、わなにイノシシが掛かっているところに近づくのも危険だ。

わなを仕掛ける場所を選ぶだけでも考えないといけないことはたくさんある。

狩猟の決まり

狩猟は、「鳥獣の保護及び管理並びに狩猟の適正化に関する法律」でいろいろなことが決められている。例えば動物を獲ってもよい期間である「猟期」は、現在、全国のほとんどの地域では、11月15日から2月15日までの3カ月間となっている(北海道など一部に例外あり)。シカやイノシシだけ猟期がのびている地域もある。

狩猟をしていい場所も決まっている。動物を保護する「鳥獣保護区」などでは獲ってはいけない。獲っていい動物の種類も決まっているというのはすでに説明したが、獲っていい動物でも、1日何頭(羽)までと細かく決められていて、こういったことをしっかり覚えないと狩猟免許はもらえない。

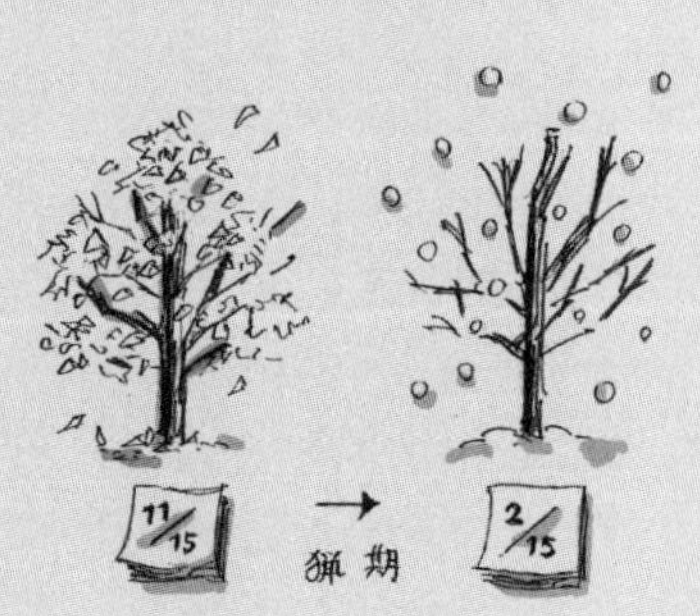

上手なわなの仕掛け方

わなを仕掛ける場所が決まったら、いよいよ、わなの設置だ。

ポイントは「いかに動物たちにバレないようにするか」だ。

例えばみんなの通学路で道路工事をしていて、地面を掘り返しているのを想像してみて欲しい。工事が終わって埋め戻したばっかりのアスファルトは、そこだけほかと違う濃い黒色で、工事の直後なんてまだ湯気が上がっていることもあるだろう。

しかも、変なにおいもするし、横断歩道の白線もそこだけピカピカで、誰が見ても工事したということがわかる。

「踏んだら靴にひっつくんじゃないか？」

「まだやわらかくて、上を歩いたらへこんじゃうかも……」

最初にそこを歩くときは、みんなもきっとちょっとドキドキするだろう。

これと同じで、動物たちも毎日通っている道が突然掘り返されて、土の中にわ

ながが埋め込まれていたら、

「なにかおかしい！」

と警戒するのがふつうだ。

とくにイノシシは嗅覚が鋭いので、わなのにおいやその場にいた人間のにおい、穴を掘ったときに切れた木の根っこのにおいの変化なんかも敏感に感じとる。これをなるべく自然な感じに見せかけることができるかどうかが勝負の分かれ目だ。

まずは、わなを仕掛ける場所のまわりはあまり荒らしてはいけない。穴を掘ったときに出てくる土は、そのままにしておくんじゃなくて、袋に入れて離れた場所に捨てるほうがいい。

わなを隠すための落ち葉も、すぐ近くのものを持ってくると、その場の雰囲気がかわってしまうので、ちょっと離れたところから持ってくるほうがいい。ただ、そのあたりに生えてない木の落ち葉を持ってくるのは逆に不自然なのでやめておこう。

あとは、におい対策。わな自体の対策は前に書いたが、設置するときにどうしてもそこににおいが残りがちになる。これは手袋をしたり、なるべく時間をかけずにわなを仕掛けることで少しはましになる。また、猟期中はにおいのあるシャンプーや石鹸を使わないとか、山に入る前に必ず山用の服に着替えるとかいろいろな工夫があるけど、完璧にするのはなかなか難しい。

なので、猟師の間でも「本格的に獲物が獲れはじめるのは、ひと雨降ってにおいが流れてからだ」などと言われることも多い。中にはペットボトルに沢の水をくんでおいて、最後にそれを流していくという人もいる。

わなを上手に仕掛けることができたら、次はねらった動物がうまくそのわなを踏むように工夫をしよう。

そのままにしておいたら、動物たちは適当に歩くので、なかなかわなの輪っかの真ん中を踏んではくれない。

　そこで、ちょっとした「障害物」を置いてやるのがいい。
　適当な長さの倒木や木の枝なんかをそっと手前に倒しておく。不自然じゃない感じなら両側に置いてもいい。
　野生動物はふだんから枝などはなるべく踏まないように歩いている。枝を踏むとパキッという音がして、自分がいる場所が敵にバレる危険性があるからだ。また、シカやイノシシなどのヒヅメのある動物は、すべりやすいので石も踏みたがらない。
　わなの横に枝や石を置いておくと、動物たちはそれをまたぐ。そうやって獲物の足の着く位置をコントロールすることで、わなを踏ませるという作戦だ。

ただし、獲物がシカかイノシシかで足の長さが違うし、同じイノシシでも、30キロの個体と100キロの個体では歩幅も違うので、ねらう獲物に合わせて障害物の場所は微妙に調整する必要がある。


さあ、これでわなは仕掛け終わりだ。具体的な手順はカラーページの「わなを仕掛ける」で解説してあるので参考にしてほしい。

ぼくはひとつの山で獲物をねらうときは、だいたい5~6丁（わなの数え方）くらいのわなを仕掛けることが多い。

けもの道は枝分かれしているので、どこを通っても必ず1カ所はわなのところを通るようにする。

もっとわなをたくさん仕掛けたほうがいいと思うかもしれないが、あまり狭い範囲にわながいくつもあると、その分、現場も荒れがちになるし、においも残り

山のけもの道は枝分かれしている。どこを歩いても、必ず1カ所はわなを通るように仕掛ける。

やすく、逆に獲物に警戒されてしまうこともある。
「下手な鉄砲も数うちゃ当たる」という言い回しがあるが、実際の狩猟ではそんなことではいけない。「ここだ！」というポイントをしっかりと見極めて必要最小限のわな数で獲物を捕獲することを目指そう。

わな猟の決まり

ぼくがやっているシカやイノシシをねらう「くくりわな」にもたくさんの決まりがある。例えば、

・クマはわなで獲ってはいけない。
・獲物の足を必要以上に締めつけない器具を取りつける。
・ワイヤーの太さは4ミリ以上。
・ワイヤーがねじれないように「ヨリモドシ」をつける。
・わなには名前、住所、狩猟者登録番号など持ち主のわかる情報を書いたプレートをつける。
・クマが掛からないようにわなの輪っかを直径12センチ以下にする。
・動物の体をつり上げるタイプのわなは禁止。

などなど。

狩猟というのは野生動物と直接向き合うとても危険な営みでもある。これらのことを守って安全に猟をする義務と責任があることを忘れてはいけない。

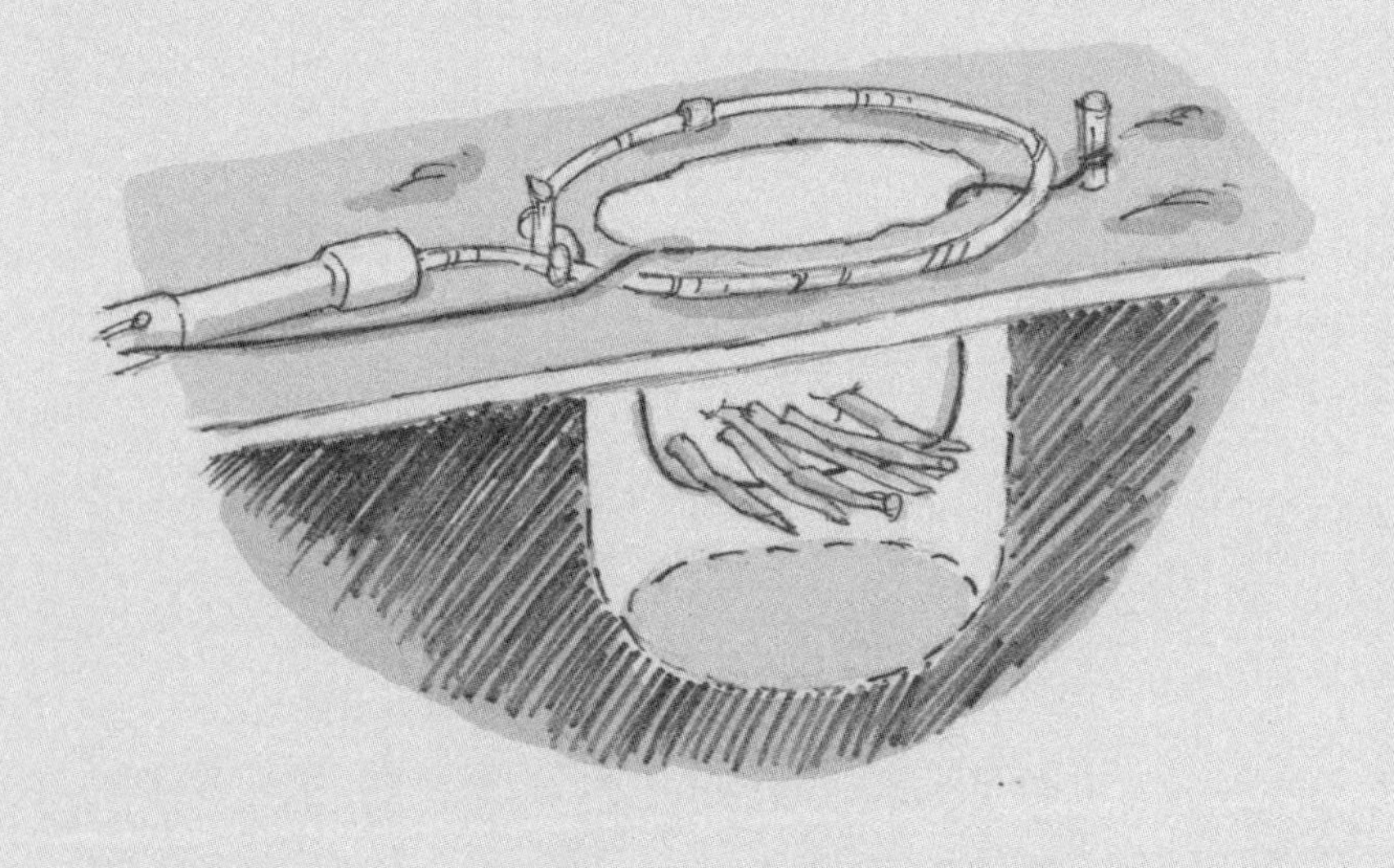

2
獲物(えもの)をしとめる

毎日の見回り

仕掛けたわなを見て回るときは、「今日こそは獲物が掛かってるかなー?」とドキドキしながら山を歩く。

最近は、獲物が掛かったことを知らせてくれる発信機つきの便利なわなも販売されているそうだけど、ぼくは猟期中にわなを見て回るのがなによりも楽しい。だから、そんな機械に頼ろうとは思わない。

毎日山を歩く中で獲物のこん跡を見極める目も養われ、猟の技術は向上していく。野生動物たちと渡り合うための体力維持のためにも山歩きは重要だ。

いま「毎日」と書いたけれども、わなを仕掛けたあとは、1日も欠かさず必ず見回りをする必要がある。

というのは、わなに掛かった動物たちは逃げようとして必死で暴れる。くくりわな自体は、トラバサミのように足を傷つけるタイプのわなではないけど、暴れたらやっぱり痛い。そんな苦しい状態に何日も動物たちを放置しておくのはかわいそうなことだ。

捕まえて命を奪うためのわなだけど、むだに苦しめることはよくない。わなに掛かったら、なるべく早くトドメを刺せるように、毎日の見回りが大切だ。

わなに掛かったまま何日も放置すると死んでしまう場合もある。とくにシカは、ワイヤーがからまって倒れこんでしまうと、大きな胃などの内臓がうまく機能しなくなり、あっけなく死んでしまう。

獲った動物の肉をおいしく食べるには、トドメを刺した直後に動物の体内の血管から血を抜く「血抜き」をする必要がある。死んでしばらく経ってしまうとその血抜きもうまくできなくなってしまう。

さらに動物が死ぬと胃の内容物がすぐにくさりはじめ、ガスなどがお腹の中にたまってくる。

そのうち肉にもくさいにおいが移り、傷んでくる。そうなると、もうその獲物の肉は食べられないことになる。

わなで捕まえた獲物をむだ死にさせて、その肉も食べられなくするなんて猟師失格だ。

この毎日の見回りは、雨が降ろうが風が吹こうが、自分が風邪を引こうが休むわけにはいかない。これがわな猟の大変なところではある。仕事が遅くなったら、ライトを持って真っ暗な山に入ることもある。

でも、毎日山に入る暮らしというのは、日々、山の変化を体で感じることができてとてもワクワクする。晩秋のころは、1日経つだけで、山の雰囲気がガラッとかわることもある。

冷え込んだ朝、山の空気を吸うと、その冷たさと独特のにおいが冬の訪れを感じさせる。コシアブラの木の落葉が今日からはじまった。リスがかじった松ぼっくりがけもの道に転がっている。「あれ？　これは昨日なかったよな……」とアカマツの木を見上げる。横たわる倒木にはテンのフンがちょこんと乗っかっている。アケビをたくさん食べたのか、種がいっぱい混じっている。姿は見えないが、たくさんの動物たちの日々の営みがイメージされる。

野生動物たちは毎日山を歩き回り、こんな風景を見つめながら暮らしている。猟期中にぼくが感じるワクワクというのは、自分が山の野生動物たちの仲間入りをさせてもらっているような感覚、とでも言うとわかりやすいかな。

ここでは、ある年の猟期のぼくの出猟日記を見ていこう。

ぼくの出猟日記

11月15日（土）　晴れ

今日は待ちに待った狩猟解禁日。

今年は解禁が土曜日なので、今日と明日は仕事もなくしっかり山に入ることができる。

天気もよく、朝から準備をしてさっそく裏山にわなを仕掛けにでかけた。腰にはナイフをぶら下げ、10丁のわなを入れた大きいリュックを背負う。ずっしりと重い。山の中で落ち葉を踏みしめると、「ああ、また猟の季節がやってきた……」と気分がじわじわ盛り上がる。

山の中を進み、ねらいをつけてあったけもの道を目指す。前日までの下見でだいたいわなを仕掛ける場所は決めてあるが、いざ仕掛ける段になると、微妙に判断がかわってくることもある。

これは、猟期に入って自分自身が「狩猟モード」になっているからではないかとぼくは思っている。やはり猟期前にのんびり山に入っているときと、猟期になって真剣に山を見ているときとでは感覚が違ってくるのだろう。満腹のライオンはシマウマが横にいても襲わないと言う。それが、空腹になると目つきが違う。敏感に獲物のにおいを嗅ぎ取り、つけねらう。そして、慎重に獲物に忍び寄る。そんなイメージだ。

猟期前の下見で、体重50キロくらいのメスイノシシがそのけもの道をよく通っているとぼくは推測している。そして、たまに70キロを超えるサイズのオスイノシシも通っている。

ぼくが住んでいるあたりの猟師の間では、獲物の体重を「ハラ抜き」で表現する。ハラ抜きとは内臓を抜いた状態の重さだ。獲った獲物の内臓は山で取り出してから持ち帰ることもあるため、獲物の重さを体重計で計るときには、ハラ抜きの状態になっていることも多い。

そんな理由もあって、猟師たちは生きた状態の獲物でもハラ抜きの重さで表現する。ぼくが目をつけている50キロのメスイノシシというのは、生きているときの実際の体重は55キロくらいはあるだろう。

さて、ぼくはそのイノシシたちの行動ルートをイメージし、けもの道の要所ごとにわなを仕掛けていく。1丁あたり、設置にかかる時間はていねいにやって20~30分くらい。あまり1カ所に長時間滞在するのは、人間のにおいがきつく残るのでよくないのだが、かと言ってわなの設置を雑にするわけにもいかない。

結局、いろいろと試行錯誤しながら午後3時までかかって設置できたのは4丁だった。お昼ごはんを食べるのも忘れて集中していたので、どっと疲れた。

まあ、初日にこれだけ仕掛けられたら上出来だ。解禁日は毎年、猟友会の先輩たちと夕方からカモの網猟に出かけるので、そのまま下山。

わなの見回りのときは必要な道具をリュックに入れて持ち歩く。くくりわな、穴掘り用の山菜ナイフ、小型ノコギリ、トドメ刺し用大型ナイフ、搬出用ロープ、猟友会キャップ、狩猟用地図は、いわば「猟師の7つ道具」だ。このほかにも、ワイヤーカッター、ヘッドライト、小型ナイフ、革手袋、ビニールテープ、飲料水、応急手当セット、折りたたみスコップなども持ち歩いている。

猟友会とは

猟友会という名前は、クマやサルなどが市街地に出没したというニュースのときにきいたことがあるかもしれない。猟友会とは、全国各地にある猟師の団体だ。全国組織として大日本猟友会があり、地方組織として都道府県猟友会がある。そしてその下に地域ごとの支部があり、多くの猟師はその支部に属している。猟友会に入るのは別に強制ではないが、狩猟者登録の手続きを代行してくれたり、共済制度を持っていたりとメリットも大きい。行政からの狩猟関連の情報も猟友会経由で入ってくることが多く、仲のよい猟友会では猟師同士の交流や情報交換も活発におこなわれている。

狩猟免許を取れる年齢になって、いよいよ狩猟をはじめようというときは、まず地元の猟友会支部に連絡を取ってみるのがいいだろう。若い猟師が少なくなっているので、きっと喜んで相談に乗ってくれるはずだ。

11月16日（日）　くもり

昨日の夜は、猟友会の師匠宅で解禁祝いの宴会があった。「猟師の正月」と言われる解禁日の宴会は大いに盛り上がる。夜遅く帰ってきたので、ちょっと寝不足だ。

でも、今日からは毎日山を見回る猟期の日々がはじまる。そう考えると、眠気も吹き飛んだ。午前中に見回りをすませ、午後からはわなを追加で設置する予定だ。

さっそく、昨日わなを設置したポイントの見回りを開始する。

けもの道に足を踏み入れたときから全神経をそこに集中させる。

「新しい足跡がないか？」

「落ち葉がめくれていないか？」

「枝が踏み折られていないか？」

そんなことを気にしながら、歩いていく。

そして、わなを仕掛けたポイントに近づくと、まずは遠巻きに現場を確認する。獲物の姿が見えなくても、周辺の木が折れていたりして現場が荒れていないか、よくチェックしよう。わなに掛かった獲物が茂みに隠れていることもあるからだ。油断して近づいて、突進されたりしたら大変危険だ。

まあ、わなを仕掛けた翌日に獲物が掛かるなんて都合のいい話はたまにしかないけれど……。

結局、順番にわなをチェックしたが、4丁ともとくになにもなし。

シカもイノシシも昨晩はわなを仕掛けてあるけもの道は通らなかったようだ。

動物たちも毎日同じ道を往復するような単純な行動をすることはほとんどない。「このけもの道は数日に1回通る」とか、「ここは週に1回くらいの頻度で来る」など、いろんなパターンがある。

また、わなを仕掛けた直後は人間のにおいがきつく残っているので、そのけもの道自体を避けて通る用心深いやつもいる。

この日の午後は、さらに2丁のわなを追加した。これで裏山に合計6丁仕掛けたことになる。

11月17日（月）　くもり

今日は朝から仕事があるので、早起きして見回りに行った。まだ薄暗い山の中を、ライトを持って歩く。早朝は気温もだいぶ下がってきていて、自分の吐く白い息がライトの光に照らされる。

順番にけもの道をたどって行くと、何カ所かで獲物の足跡らしきくぼみを見つけた。落ち葉の降り積もった山では、足跡はなかなか判別が難しいが、落ち葉の上を動物たちが歩くと、そこだけ落ち葉が不自然に縦を向いていたりする。そのくぼみの大きさからシカかイノシシだとわかる。

なぜわかるかというと、日本に生息する野生動物で大型なのは、シカとイノシシ以外だとカモシカとクマしかいない。クマはもっと足のサイズが大きく、ヒヅメもないのでその足跡はすぐに判別できるし、カモシカはぼくの住んでいるあたりには生息していないからだ。

「確実に昨日の夜に獲物がこの道を歩いている」

そう思うと、気分も盛り上がってくる。

しかし、順番に見ていっても、わなには変化がない。うまく避けられているようだ。

最後のわなにも結局獲物の姿はなかったが、その近くで気になるにおいが……。

「お、イノシシのうんちあるんちゃうか！」

ドングリや果実を中心に食べている時期のイノシシのうんちは、ぜんぜんくさくない。なんというか、発酵した腐葉土のようなにおいだ。

周辺を探すと、最後のわなの少し手前に真新しいうんちがあった。その大きさから、ぼくがねらっている50キロのメスイノシシのものだと判断できる。

ねらった獲物が近くまで来ているのに、獲れていないときはとくに悔しい。

なぜわなを踏まなかったのかよく観察してみると、そいつはうんちをしたあと、わなの手前で、けもの道をはずれ、ガケを降りていることがわかった。これは確実にわなの存在に気づいている行動だ。

わなに気づいたイノシシは、直前で立ち止まってUターンしたり、わなをまたいだりもする。そんな足跡を見つけると、「イノシシって賢いなあ」と舌を巻く。

たまに、わなにかぶせてある落ち葉をていねいに鼻でどけて、わなを丸見えにして去っていく、とんでもなく賢いイノシシまでいる。まるで「ここにわながあるんでしょ。おれは知ってるんだからね」と言わんばかりだ。

結局、6丁のわなにどれも変化はなかった。

あっ！　時計を見るともう7時前だ。気づけばあたりもすっかり明るくなっている。仕事に遅刻しないように大急ぎで帰宅して、朝ごはんも食べずに出勤した。働きながらの猟暮らしはなかなかハードだ。

11月18日（火）　雨

今日は朝から雨だった。

「夕方にはやんでくれるんちゃうかなあ」と思って、早朝の見回りには行かずに出勤ギリギリまで布団で寝て体力を温存。

残念ながら、仕事を終えて山に行く準備をしはじめても雨はやまず。仕方なく、雨具を着込んで、長靴をはいて山に入る。雨の日の山は足場も悪く、こん跡もわかりにくいため大変だ。

ただ、よい点もある。

それは、雨が降ると猟場やわなについたぼくのにおいが流れ落ちてくれるということだ。実際、獲物がしっかり掛かりはじめるのは、わなを仕掛けて、ひと雨降ってからのことが多い。

「いいタイミングで雨が降ってくれたってことか……」

そんなふうに考えながら、山を歩く。風もけっこう強く吹いている。

「これは落ち葉もまたずいぶん落ちて、わなを隠してくれるやろう」

雨で濡れたけもの道をなるべく荒らさないように慎重に歩いた。雨は止むどころか、逆に強くなってきた。

雨や風の日は、山の動物たちもよく動くと言われている。その理由としては、エサとなるドングリなどの実が木からたくさん落ちることが考えられる。また、雨音が自分たちの動く音を消し去ってくれるということも知っているのだろう。あまり激しい雨のときは、茂みの中などで雨を避けてじっとしているようだが、その前後はやはり活発に活動する。

肉食動物にねらわれる草食動物の立場で考えれば、自分たちのにおいも流し去ってくれる雨の日は、行動するのに最適な日なのは間違いないだろう。

「こんな雨の中で獲物が掛かってたら、処理するのも大変やから今日は掛かってなくてもいいな」

そんな自分勝手な願いが天に通じたのか、この日も獲物はなしだった。

11月19日（水） 晴れ

前日の雨のせいかちょっと風邪気味。朝寝坊して、出勤前の見回りには行けず、仕事後の夕方からの見回りになった。

体調が少々悪くても、わなを仕掛けた以上は責任をもって見回りはしないといけない。このへんがわな猟のつらいところでもある。

朝からずっと晴れていたので、けもの道はすっかり乾いている。ところどころに新しいこん跡もある。前日の雨でやはり夜のうちに動物たちがよく動き回ったようだ。

順番にわなを見回り、4つ目のわなのあたりに着いたとき、けもの道の上にわなが転がっているのが見えた。

「あらら、空弾きか……」

「空弾き」というのは、獲物は掛かっていないのにわなが作動していることを言う。これはいろんなパターンが考えられる。

①うまく輪っかの中に足を踏み込んだものの、獲物がわなに気づいて急いで足を引っこ抜いて逃げたパターン。これはわなを作動させるタイミングを早めたり、障害物を増やして、よりしっかりとそこに足を踏み込むようにさせることで解決できる。

②わなの輪っかの中にうまく足の先が全部入らなくて、ひづめが1本だけ掛か

空弾きのパターン

①

②
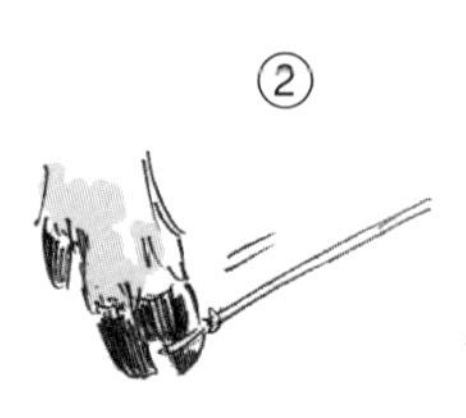

③

ったりしたパターン。こういう場合は足がするりと抜けてしまう。

③わなの輪っかじゃなくて、仕掛けの塩ビ管の部分やワイヤーを蹴飛ばされたりしたときも空弾きは起こる。こういう場合は、塩ビ管やワイヤーに倒木を沿わせておくなどして、動物が踏んだり蹴飛ばしたりしないようにしておこう。

どのパターンなのかは、現場の状況をよく調べることで判断できる。

あと、空弾きに近い現象として「足抜け」もある。

これは、ねらった獲物の足をくれたものの、その掛かり方が浅かったために、ダッシュしたらそのままスポっと抜けてしまうというもの。もしくは、タヌキやキツネなんかのほかの小動物がわなに掛かり、足が小さいためにそのまま脱走した場合だ。通常は小動物ではわなは反応しないように仕掛けを設定しているが、なにかのきっかけでおもいっきり強い力で踏み抜いたときは作動することもある。

どんな動物が逃げたのかは、わなのワイヤーに毛が残っていたり、周辺に踏ん張った足跡があったりするので、それを見て考えてみよう。慣れれば、毛を1本見るだけで、シカかイノシシか判別できるようになる。

街の探偵は、現場に残された指紋を調べたり、筆跡を鑑定したりして、犯人の行動を推理する。空弾きや足抜けの原因を探るのもこれと同じことだ。ここでしっかりと調査しておけば、次につながる。

こういった空弾きや足抜けしたポイントのわなは、捕獲までもう一歩のところまできていると言える。空弾きを経験した獲物は警戒心も強くなると言われているので、障害物の位置やカモフラージュなどをしっかりやり直して、再設置しておく。

11月20日（木）　くもり

用心してしっかり寝たせいか、体調は回復。仕事が早めに終わったので、明るいうちから山に入ることができた。

結論から言うと、今日も獲物は獲れていなかった。

猟期に入ってまだ1週間も経っていないのだから、なにも焦る必要はないのだが、毎年1頭目が獲れるまでは「今年は獲れないいんじゃないか……」なんて不安になることもある。

とくにあとから仕掛けた2丁にぜんぜん気配がない。警戒心の強いイノシシで、避けられてしまっているのかもしれない。

だいたい、わなを仕掛けて10日から2週間くらい反応がなかったら、ぼちぼちわなの見直し時期だ。

けもの道によっては、数日に1回とか1週間に1回くらいのペースで獲物が巡回するようなところもあるので、すぐにそのけもの道がイマイチだとは判断できないが、エサにしているドングリを食べ尽くして、ほかのエサ場に通うようになった可能性もある。

ひと口にドングリと言っても、クヌギ、コナラ、カシ、シイなどいろんな種類があり、それぞれ落果の時期にズレがあるので、イノシシも季節の変化に合わせてエサ場をかえていく。

わなを仕掛けた前日まではよく通っていたのに、そのあとぜんぜん通らなくなる、なんてこともある。そういうときはある段階で見切りをつけて、違う場所に仕掛け直したほうがいい。別の猟師に先に獲られてしまった可能性だってある。

新しく落果をはじめたドングリの木も見当たらなかったので、とりあえず、この2丁のわなはそのままにしておくことにした。

11月21日(金) 晴れ

冷え込んだ朝。今日は平日だけど、仕事は休み。

ぼくはいま、週に3～4日、地元の運送会社で働いていて、それ以外の日は狩猟や山菜採り、川魚獲りなどをして暮らしている。山のそばの自宅ではニワトリやミツバチも飼っている。

ぼくは猟で獲った獲物の肉を販売はしていない。でも、山や川から豊富な食材をタダで手に入れることができるので、食費などの生活費があまりかからない。飼っている動物たちも卵やハチミツをたくさん提供してくれる。おかげでふつうの人のようにがんばってお金を稼ぐ必要がなく、働く日数も少なくすることができている。わが家の食卓には春はワラビやフキなどの山菜、夏はアユやウナギなどの川魚、秋にはナメコやヒラタケなどのキノコが並ぶ。

さて、時間はたっぷりある。今日もわなを仕掛けているけもの道を見回りに行こう。

午前中にわなの整備やニワトリとミツバチの世話を終え、昼前から山に入った。けもの道を途中まで歩いたところで、新しい足跡がある。これは昨日の夜に動物がやって来た証拠だ。

足跡をじっくり観察すると「抑え爪」までついているから、イノシシで間違いない。

ヌタ場で泥浴びをしているかどうかも確認しに行く。

行ってみたらヌタ場の水もミルクコーヒーのように濁っている。これは確実にイノシシが来ている。

そして、ヌタ場で泥浴びしたあとにどっちに行ったかは、ポタポタと落ちる泥の跡でまるわかりだ。うまい具合にわなを仕掛けたけもの道のほうに向かっている。

「これは空弾きしてなかったら獲れてる確率が高いな」

こういうときは、わなの近くではとくに慎重に行動しないといけない。

遠くからわなのあたりを確認し、まず異変がないかどうか調べる。

実際に動物が掛かっていたら、ワイヤーをしばりつけた木を中心にして、小さい木や枝が折れたり、地面が掘り返されたりしていることがほとんどだ。

これは動物たちもなんとかわなから逃げ出そうとして必死で暴れるからだ。ただ、人間が近づいてきたら警戒して動きを止める場合も多い。わなに掛かった動物が茂みに隠れていないか。くぼみや倒木の裏にしゃがみ込んで身をひそめていないか。注意深く観察しよう。

ヌタ場から1つ目のわなは変化がなかったが、2つ目のわなに近づくとガサガサッ、バキッと大きな動物が暴れる音が聞こえた。

「お、掛かってるな」

ぼくは遠くから現場を観察する。

現場の荒れ具合から姿が見えなくてもイノシシだとわかる。

わなに掛かったイノシシは土を掘る習性があり、ワイヤーの届く範囲が、隕石が落ちたのかと思うくらいきれいに円形に掘り返されていることがある。これは猟師の間で「イノシシの土俵」と呼ばれている。

もう少し近づくと、イノシシ独特のにおいもしてきた。そして、けっこうデカいその姿を確認できた。

牙をガチガチ鳴らしながらこちらを威嚇している。

めくれた上唇の間から鋭い牙が見える。オスイノシシだ。どうやらメスより先にオスのほうが獲れたようだ。

「でも、70キロはなさそうやな。60ちょいってところか。思ってたよりはちょっと小さめやな」

オスイノシシは立派な牙を持ち、それを上の犬歯とこすり合わせて、よく切れるように研ぐことが知られている。そのときにガチガチという音が鳴る。

つまり、オスイノシシはその音を鳴らすことで「おれはいま牙を研いで、お前を攻撃しようとしているんだぞ！」とぼくを脅しているということだ。

イノシシは本来、人間を見たら逃げていくようなおとなしい動物だが、こういった絶体絶命のピンチのときは、持っている武器で必死に反撃してくる。ねらった獲物が獲れたからといって、喜んでばかりはいられない。

ここからが一番慎重に行動しないといけない場面だ。わな猟でケガをする危険性が最も高いのがここからだ。

くくりわなには「ヨリモドシ」というねじれ防止の部品が取りつけられているが、その部品が木にからまったりしてうまく機能しないこともある。そんなときはワイヤーがねじれて切れそうになる場合がある。

とくにイノシシは人間が近づくと全力で突進してくるので、弱ったワイヤーは、そのときの衝撃で切れてしまう。

そんなことになると直接突進されてしまって大変危ない。イノシシの牙で突き刺されたら人間の皮膚なんてすっぱり切れてしまうし、牙の小さいメスイノシシでも追いつめられたら噛みついてくる。野生動物にはそれぞれ、これ以上近づいたら攻撃するという距離がある。それ以上近づかなければ、通常は動物のほうが逃げていく。まずは一定の距離をたもったうえでワイヤーの状態をしっかりと確認しよう。

ワイヤーがだいじょうぶだと確認できたら次は、ワイヤーで足首をしっかりくくれているかをチェックする。

抑え爪までしっかりくくれているのがベストだが、たまに手前のヒヅメだけが引っ掛かっていることがある。この場合も、力が強く掛かった場合にスッポ抜ける危険性がある。こういう掛かり方のときも注意が必要だ。

こうして、しっかりとわなに掛かっていることを確認したら、残りのわなを先に見に行っておいたほうがいい。獲物は獲れるときは意外と同時に掛かっていることもある。万が一もう1頭掛かっていたら、どういう順番で相手をするかも考えないといけない。イノシシを興奮させないようにそっとその場を離れて見回りをすませたが、この日は残りのわなには獲物の姿はなかった。

ぼくはふたたびイノシシが掛かっているわなのところに戻ってきた。

いよいよトドメ刺し

獲物のトドメの刺し方だが、ぼくは木の棒や鉄パイプで急所をどついて失神させてからナイフでトドメを刺すという方法をおこなっている。

シカの場合は後頭部で、イノシシは眉間だ。なぜならイノシシには後頭部がないので、頭部に衝撃を与えられるのは眉間しかない。

このやり方を説明すると、たいがい、「なんて原始的な方法!」と驚かれるが、一昔前まではこれは屠殺場でもふつうにおこなわれていたやり方だ。いまでこそ、脳を鉄棒でうちぬく銃や電気ショックなどが使われているが、以前は係留場から順番に連れて来られた牛や豚の眉間にハンマーを振り下ろす係の人が存在した。これも慣れないと動物が暴れて大変だったという。ぼくが山でシカやイノシシと向かい合うときと同じような緊張感がその場にはあったのだろうと思う。

ぼくが近づくと、シカはほとんどの場合逃げようとするが、イノシシはかなりの確率で突進してくる。安全にトドメ刺しをおこなうには、これらの自由に動き回る動物の行動を制限したほうがいい。

具体的な方法としては、予備のワイヤーやロープなどでもう1カ所をくくって、別方向に引っ張って木にしばりつけるやり方が一般的だ。獲物に近づいてくるのは慣れないと危ないので、棒の先にワイヤーの輪っかをつけたような専用の道具を使うほうがいい。

オスジカなら角、イノシシなら鼻先などがくくりやすい。こうやって2カ所をくくった状態にするとかなり安全だ。

ほかにはまわりの木にぐるぐる巻きになるようにわざと誘導したり、じょうぶな倒木などをワイヤーの上に倒して、獲物がそれにからまるようにしたりする方法もある。いずれにしても、獲物の自由度をしっかりと奪うことが重要だ。

なお、トドメ刺しのときは、決して山の下側からは近づかないこと。イノシシの突進に重力の力がプラスされると、ワイヤーが切れる危険性が倍増する。必ず山の上手側から近づこう。

イノシシの行動範囲を狭めることができたら、いよいよイノシシとの間合いを詰めていく。鉄パイプを手にジワジワと近づき、眉間めがけてそれを振り下ろす。イノシシも必死にそれを避け、牙をむき出しにしてぼくを威嚇してくる。すきあらば突進してその牙で引っ掛けてやろうという形相だ。背中のたてがみを逆立ててこちらをにらみつける様子は、正直言ってかなり怖い。見えている牙は3センチほどあり、あれで太ももの動脈や腹を切られたら命にかかわる。

慎重に間合いを計り、4～5回ほど眉間に鉄パイプを打ち込んだとき、イノシシがよろめいて倒れた。その瞬間、ぼくは鉄パイプを放り出し、イノシシにまたがって抑え込み、腰のナイフをすばやく抜いた。ここでかわいそうだとか思って躊躇してはいけない。再び意識を取り戻して起き上がってくると大変危険なことになる。前足のつけ根のあたりから指3本。これが心臓の位置になる。そこから

トドメの刺し方

「イノシシの場合」

①眉間をどつく

鉄パイプや木の棒で、イノシシの眉間を思い切りどつく。数回振り下ろし、イノシシを失神させる。

②心臓にナイフを突き刺す

心臓
前足のつけ根から
指3本分

ナイフで心臓につながる太い動脈を刺し、失血死させる。

「シカの場合」

後頭部をどつき、失神させたあと、首の頸動脈をナイフで切る。

出ている大動脈に刺さるようにナイフを突き刺す。ゴボッゴボッと音を立てて血が噴き出す。イノシシは目を見開き、痙攣し、数十秒で動かなくなった。確実に絶命したことを確認してから、ぼくは立ち上がり、イノシシの後ろ足を持って山の斜面の上のほうに少し引きずりあげた。

木などにつるしたほうが、その後の血抜きはスムーズだが、山の中ではなかなか大変なので、頭側を斜面の下側にして傾けておくくらいでいい。それで大半の血は抜ける。

獲物をそのような体勢にしてから、使った道具をリュックに片づけて下山の準備をする。

狩猟と生態系

ぼくは動物が好きだった。それなのに彼らの命を奪う猟師になるなんておかしいと思うかもしれない。みんな仲よく暮らせばいいんじゃないか、と。でも、自然界ではみんな食う食われるの関係だ。そうすることでバランスが生まれる。

実際、いま日本の自然界では、シカが増えすぎて山の中の植物が食べ尽くされてしまう問題が起きている。これは、人間の山の利用法が変化したことや、長い間シカが保護されてきた結果起きていることだけど、シカの捕食者だったオオカミを人間が絶滅させてしまったことも原因のひとつだ。いまの日本ではシカやイノシシ

などの大型動物を獲って食べることができるのは人間以外いない（クマは雑食性で肉も食べるけど、狩りはあまり得意ではない）。

「日本人は農耕民族だ」なんてよく言われるけど、農耕の歴史なんてせいぜい数千年だ。それよりもはるかに長い何万年もの間、日本で暮らしてきた人々は狩猟や採集をして生きのびてきた。ぼくらはその血を受け継いでいるんだ。過去には乱獲もあり、その歴史は反省すべきだが、現代においては生態系のバランスを取る意味でも人間が狩猟をする意義は大きい。

獲物を運び出す

このあとは、なるべく早く内臓を取り出して、肉自体を冷やす必要がある。近くにきれいな水が使える沢があれば、そこでさっさとやってしまってもよいが、山の中で腹を割ると、その後の運び出し作業で汚れが中に入る危険性がある。解体できる場所まで1時間以内に戻れるようなら、そのまま運び出すほうがいい。

獲物の運び出しは基本的には引きずって出す。

わな猟は通常はひとりでやるものなので、棒をくくりつけて、エッサホイサとふたりで運ぶようなわけにはいかない。

しかも、急斜面や段差の多い山の中では実際にはあのような持ち方はしんどいだけだ。

獲物を引きずると肉が傷むのではと思うかもしれないが、実は血抜きが終わった状態の肉なら少々引きずってもなんの問題もない。毛皮もクッションの役割を果たす。

ひとりで獲物を運び出すときは足などを持って引っ張る。大物が獲れたときはとても重労働だ。

小さい獲物なら抱えて帰ることもできるが、野生動物の体にはマダニがたくさんついているので、直接肌に触れるような持ち方はしないほうがいい。

運び出しは獲物の足や角を直接握ってもよいが、意外と握力が必要だ。

とくに大物が獲れたときは、ロープで獲物の足をしばって、そのロープにしっかりと握ることができる持ち手を木の棒などで作るとずいぶん楽に引っ張れるようになる。

内臓を取り出す

水が使えるところまで到着したら、次は内臓の取り出しだ。腹を割いたときに汚れが中に入らないように、まずていねいに外側を洗い流す。きれいに洗えたら、腹にナイフを入れる。腹を割いたその瞬間、湯気が上がるほど体の中はまだ熱を持っている。直接触ると熱いと感じるくらいだ。トドメ刺しのあと、冬の寒さにさらされ、冷たい水で念入りに洗ってもこの状態なのだから、毛皮と皮下脂肪による断熱効果はすごいものだ。温かい状態で肉を置いておくとすぐに傷んでしまうので、この作業はなるべく手早くおこない、内側からしっかりと冷やしてやる必要がある。

取り出した内臓はていねいに処理すればほとんど食べることができるが、なかなかそこまで手が回らないこともある。もし、山の中で処理して内臓を持ち帰ることができない場合は、しっかりと山の中に埋めておけば、微生物が分解して自然に還る。キツネやタヌキが掘り返して食べてしまうこともあるが、家に持ち帰ってゴミとして捨てるよりはよっぽど自然にやさしいだろう。具体的な手順はカラーページの「獲物をしとめる」で解説してあるので参考にしてほしい。

獲物を冷却する

内臓を全部取り出せたら、あとは水道できれいに体の中を洗う。

肉の熱を取るために、割った腹を上向きにして、しばらく体の中に冷たい水をためておく。こうしておくと、血もさらに抜けてくれる。

ここまでで、捕獲後の作業はだいたい一段落だ。このままどんどん解体を進めていってもいいが、いった

内臓を取り出した獲物は水で洗い、冷却する。

んしっかりと冷却したほうが、解体中に肉が傷むのが避けられる。脂身も固まって解体しやすくなるので、一度、肉の芯まできっちりと冷やしたほうがいい。

冷却の方法は氷水にまるごと浸けるのが一番いい。半日くらい浸けておけば確実だ。ただ、あんまり長い間浸けておくと、今度は肉がふやけてきてしまうので注意しよう。

まるごと浸けるような容器がない場合は、凍らせた2リットルのペットボトルを数本、腹の中に詰め込んで、まわりにもペットボトル氷をあてがってからシートで巻いておくのがよい。猟師の家には獲物の肉を保存するための大型の業務用冷凍庫があるので、こういう氷もたくさん作ることができる。

こうしてしっかり冷却できれば、一晩か二晩程度なら置いておくことが可能だ。ぼくはここまではだいたいひとりでやるが、このあとの解体は猟仲間に連絡していっしょにやることが多い。

さてさて、こんな感じで結局この日はイノシシを冷やすところまでやったら夕方の5時だった。猟期のころは日没も早く、5時を過ぎたら、あたりはかなり薄暗くなっている。

これがもしも夕方からの見回りだったら、作業終了はたぶん夜中になっていただろう。

わな猟はいつ獲物が掛かるかわからないから、猟期中はなかなか予定が立てられない。職場の友人と夜に食事に行く約束をしていても、イノシシが掛かっていたら即キャンセルだ。

でも、何度も言うけど、この「獲物がいつ掛かるかわからない」というのがわな猟の最大のおもしろさでもある。シーズン中は、猟が生活の中心になり、仕事をしていてもご飯を食べていても、「今晩くらい獲物が掛かるかもなあ」なんてついつい考えてしまう。こんなふうに毎日をドキドキしながら過ごせるのが猟期の醍醐味だ。

3
獲物を食べる・利用する

獲物の解体

「こんばんはー。おおっ、けっこうええサイズですね！」

猟仲間のなりさわくんがやってきた。解体小屋の中心に、昨日獲ったイノシシがぶら下げられている。今日は夜の7時から解体開始だ。

「そうやねん。ねらっとったオスがうまいこと掛かってくれてなあ。けっこう重たくて、引っ張り出すんに苦労したわ」

なりさわくんは猟をはじめて3年目の新人猟師。ぼくの獲物の解体をよく手伝ってもらっている。彼自身も今期はシカを1頭捕まえた。

「今日は子どもたちは参加しないんですか？」

「うん。なんか明日、小学校の行事が朝からあるみたいで、はよ寝なあかんらしいわ」

わが家では獲れた獲物は家族で解体することもある。小学生の息子ふたりは1年生のころから自分のナイフで解体に参加しているので、シカの皮はぎはだいぶ上手になってきている。

「じゃあ、さっそく皮はぎからはじめよか。まあ、いつものことやけど、マダニにはきいつけてな」

「あ、こないだ帰ったら、脇の下に1匹マダニがおったんですよ！　あれは焦ったなあ」

野生動物には、たくさんのマダニが寄生している。その動物が生きているときは、マダニは毛皮の中に隠れていて見えないけど、獲物を冷やすと一気にそこから出てくる。動物が死んだことを察知して別の寄生先を探すわけだ。人間の体温や二酸化炭素のにおいに反応して寄ってくるので、皮をはぐときはマダニが自分の体につかないように注意しながらやる必要がある。

マダニに注意！

シカやイノシシの皮膚にはたくさんのマダニが寄生していることが多い。このマダニは吸血前は数ミリ程度の大きさだが、血を吸ったあとは1センチ以上にもなる。マダニに噛まれると、長い間かゆみが続くが、危険な病気に感染することもあるので注意が必要だ。

シカやイノシシが増えたことによって、日本の山の中にいるマダニも増えている。解体のとき以外でも、山の中を散策するだけでマダニが体についてくることがある。野生動物が多い山の中を歩いたあとは、早めにお風呂に入

吸血後
1センチ以上になる

るなどして、体にマダニがついていないか確認したほうがいい。脇の下やお腹、股などの皮膚がやわらかいところをねらってマダニは喰いつく習性がある。マダニは一度噛みつくとなかなか取れない。無理に引っ張ると病原菌を持ったマダニの体液を自分の体の中に逆流させてしまう可能性があるので、マダニを外すときは、マダニの体を持たず、とげ抜きなどでクチバシの部分をはさむようにする。また、まっすぐ引っ張ると、クチバシの先が取れて、体内に残って化膿したりする原因になるので、はさんだクチバシを回すようにしながら取るのが基本だ。

※もし実際に噛まれてしまって、病気のことが不安なら、皮膚科などの病院を受診するのが確実だ。

自分で建てた解体小屋の外観
チェーンブロック
獲物をつるす
ガスレンジ
石油ストーブ
奥のスペースで
暖まるため
肉をパック詰めする
機械
大型冷凍庫
肉を保存しておく

解体小屋の内部
つるしばかり
100キロまではかれる
獲物
入口
氷水で獲物を冷やす
ステンレス製の解体テーブル

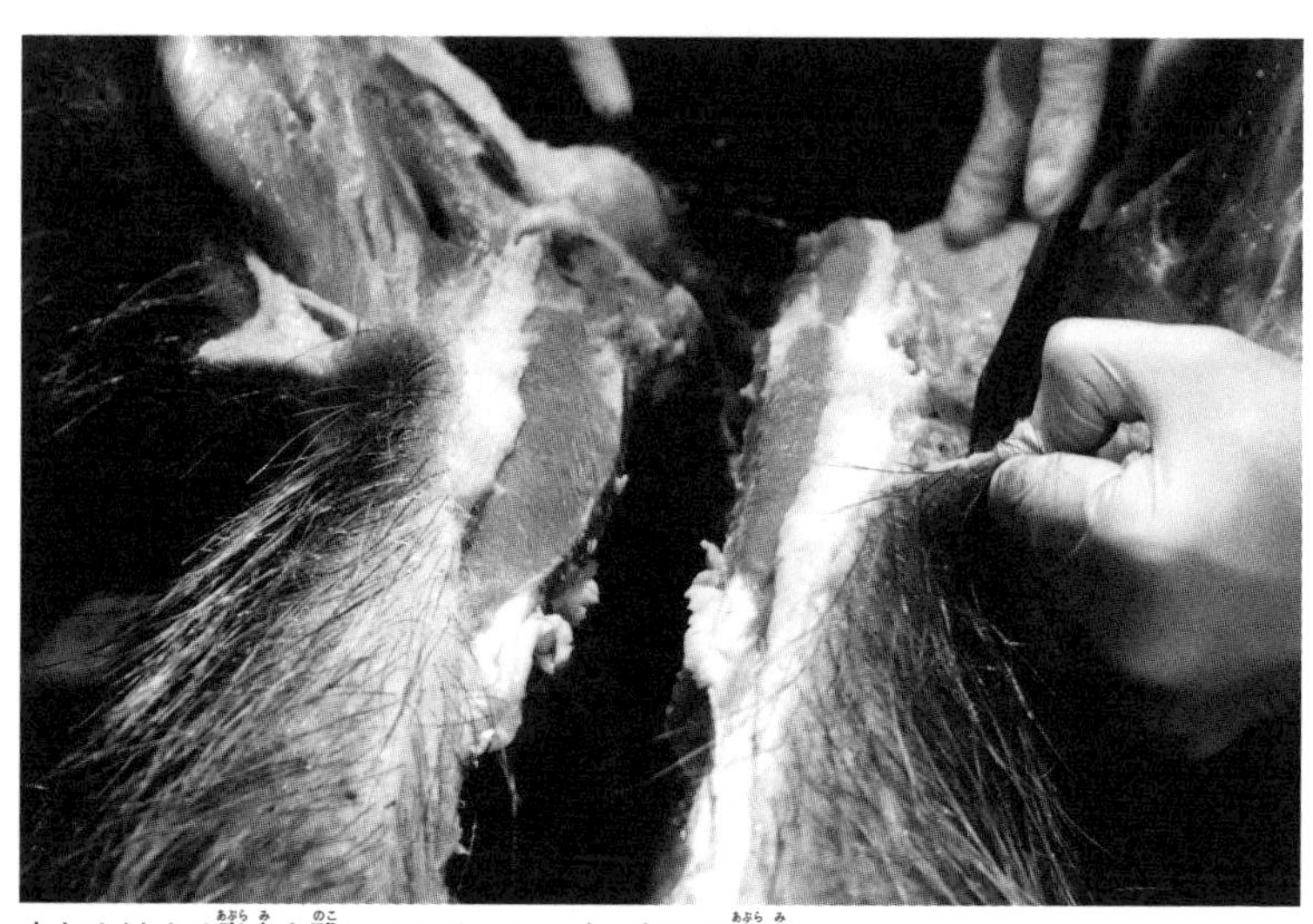
皮をはぐときは脂身を残してていねいに。白い部分が脂身。

「このイノシシ、けっこう脂のってますね！　うまそうやなあ」

「今年は裏山のドングリが豊作やったしな。発情期に入る前のええタイミングで獲れてよかったわ」

イノシシの皮をはいでいくと、きれいな白い皮下脂肪が出てくる。これはイノシシが秋にたくさんドングリを食べて、冬を乗り切るためにたくわえた脂だ。この脂身がとてもおいしいので、イノシシの皮をはぐときは、なるべく皮に脂身を残さないようていねいに作業をする。

分厚いところでは、その脂身は数センチに

もなる。それだけの脂肪分をたくわえるにはかなりの量のドングリを食べる必要がある。ドングリの木がたくさん生えている山がおいしいイノシシ肉をつくり出してくれるとも言えるだろう。豊かな自然があるからこそ、野生動物が元気に育ち、猟も続けられる。

「このはいだ皮、どうしましょ？」

「あ、ビニール袋出すから、それに入れてしばっとこか」

1時間ほどで皮をはぎ終えた。マダニが出てくるといけないので、急いで毛皮を袋に詰めて、密封しておく。あとで皮なめしに利用するなら塩漬けにするか冷凍保存する。このタイミングで一度、解体小屋の床も全部水で流してきれいにする。

背割りはノコギリで。かなりの重労働だ。

次は、背割りという工程に入る。ぶら下げたイノシシの背骨の中心を大きいノコギリで真っ二つに切断する。家畜を解体する屠殺場では、電動のノコギリを使って一気にやってしまうが、我が家では人力だ。

「せんまつさん、おそくなりましたー！」

ちょうどそのとき、仕事を終えたみいちゃんが解体小屋に入ってきた。みいちゃんは猟仲間の妹で、ぼくが獲った獲物の解体もよく手伝いにきてくれるありがたい存在だ。

「おー！　ええタイミングで来てくれた。ちょうどいまから背割りやねん」

「え〜、一番しんどい作業やん！　あと10分遅く来たらよかったなあ」

「まあまあ、そう言わんと、かわりばんこでノコギリやろうや」

背割りにかかる時間は実際10分程度だが、集中してノコギリを使うのでけっこう疲れる。終わったときには、みんなちょっと息切れしたりするくらい。両足をつるしたイノシシの股の間から切りはじめて、最後に首のところの太い骨を切断できたときは、なかなかの達成感だ。ほかの作業のときは黙々とていねいに進めるのが基本だけど、この背割りだけは、白い息を吐きながら、みんなでわいわい言いながらギコギコやる。寒い季節の解体作業で、唯一ちょっと体が温まる瞬間だ。


背割りのあとは、解体テーブルの上でひたすら肉から骨を外す作業となる。その作業の前にステンレスの解体テーブルは熱湯で消毒。解体作業のときは使い捨てのビニール手袋を必ず使う。食肉を扱う作業だけに衛生面にもしっかりと気を

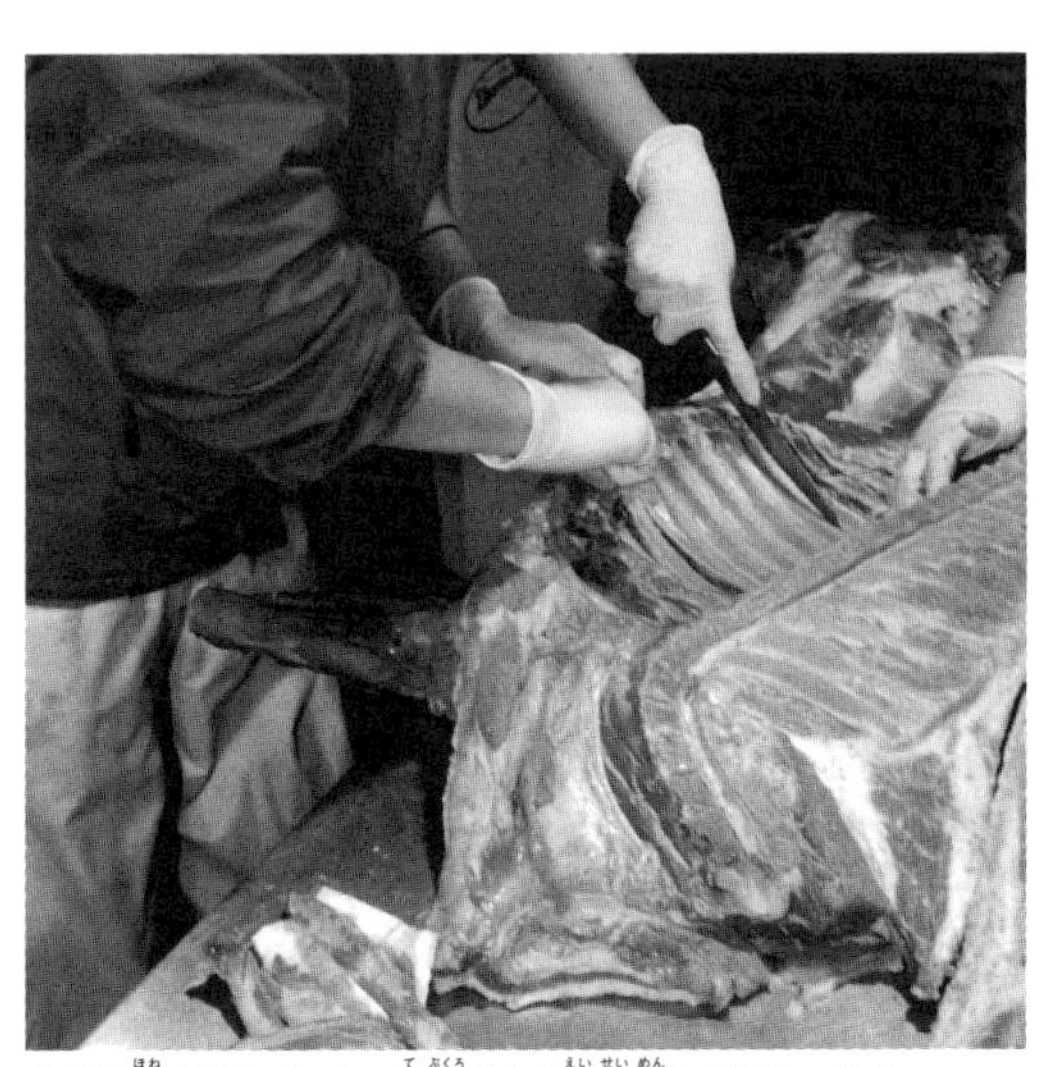
肉から骨を外していく。手袋をして衛生面にも気をつける。

使う必要がある。

「せんまつさん、このイノシシどっちの足がわなに掛かってたん?」

「あー、左の前足やわ。そこの肩のあたり、けっこう血肉になってるはずやで」

くくりわなで獲った獲物の場合、わなに掛かっていた足の肉はどうしても内出血などで傷んでいることが多い。これは動物たちが必死に逃げようと暴れるからだ。そういう部分の肉は、ふつうの料理には使えないので、ゆでこぼしてアクを取ってからじっくり煮込んでしぐれ煮にしたり、猟犬を飼っている人はエサにまわしたりする。

ちなみに、1頭のイノシシから取れる肉の量はとてもたくさんだ。毛皮と内臓と骨を除いた分が肉になる。例えば体重が60キロのイノシシからはだいたい半分の30キロの肉が取れる。大人用の大きいハンバーグ1個が150グラムくらいなので、そのハンバーグが200個も食べられる計算になる。

「なりさわくん、イノシシは獲れそうなん？」

「いやあ、今わな入れてる山がシカばっかりで……」

「最近、ホンマにシカが多いからなあ」

休憩のときは、ヤカンをのせた石油ストーブのまわりに集まって冷えた手を温めながら雑談をする。肉が傷んでしまうので、解体小屋全体を暖めるわけにはいかない。沸騰したお湯でいれた温かいコーヒーやお茶がおいしい。作業が夜遅くなってきたら、夜食にインスタントラーメンを食べたりもする。

シカは皮もはぎやすく、ちゃっちゃとやればひとりでも2時間くらいで解体できるが、イノシシの場合は数人でやっても4～5時間はかかる。たくさんのおいしい肉を手に入れるためには、それなりの労力がかかるということだ。

なにを残酷だと感じるか

わざわざ野生動物の肉を食べなくても、スーパーに売っている豚肉や鶏肉を食べればいい、という意見を言う人がいる。でも、そのスーパーに売っている肉だってもともとは生きている動物で、それを誰かが育て、殺していることにかわりはない。

ぼくは卵を採るためにニワトリを飼っているけど、このニワトリたちはエサをあげるぼくにはすごくなついていて、ぼくが近づくと大喜びで寄ってくる。このニワトリたちを肉にするのはとても抵抗がある。ぼくは山の中で知恵比べをして捕まえたイノシシやシカのほうが、肉にするときの抵抗は少ない。なにを残酷だと感じるかは人それぞれだ。

自分で猟をするようになって、動物の命を奪い、その肉を食べるということについて考えることは多くなった。

切り分けた肉をパック詰め。オスかメスか、何歳くらいかなどの情報を書いておく。

「はあー、やっと終わった！　この前足の肩甲骨のところは何回やっても難しいなあ」

「おつかれさん。そこは骨の形が特殊やから、その形を覚えるしかないね」

肉から骨を全部外し終えたら、あとは牛刀という大きな刃物を使って肉を切り分ける。ロース、バラ肉、モモ、肩、スネなど、部位ごとに分けてパック詰めする。パックには部位だけじゃなく、何歳くらいの個体でオスメスどちらかという情報も書いておく。また、獲れた日づけも必須だ。野生動物の肉は、獲れた時期や性別、年齢などで個体ごとに肉の質がかわってくるからだ。

ぼくが切り分けた肉を、なりさわくんがパック詰めし、みいちゃんが必要事項を書き込んでいく。わなの設置や見回り、山での動物とのやり取りはひとりでやるものだけど、解体はやっぱり何人かでやるほうがスムーズに進むので、手伝ってもらえるのはホントにありがたい。

こうしてパック詰めした肉は、すべて冷凍保存する。シカやイノシシなどの大型動物を対象とする猟師は、保存用の業務用冷凍庫も持っておく必要がある。昔の人は塩漬けや干し肉、くん製などにして保存したが、現代の猟師は冷凍保存が基本だ。

解体が早く終わったら、さばきたての肉を焼きながら宴会をはじめることもあるけど、この日はなんだかんだで23時すぎまで作業をしていたので、そのまま解散ということになった。

「じゃあ、みんなお手伝いありがとう。なりさわくんはなんとかイノシシ１頭がんばって」

「とりあえずシカでもいいんで、年内になんとかもう1頭ねらいます」

「みいちゃんもいつもありがとう」

「いえいえ。あたし解体するの好きやし、また誘ってね〜」

解体にはほかの友人たちが参加することもある。その際はいくらか肉を持って帰ってもらい、自分でさばいた肉を自分で料理して食べるところまでやってもらうようにしている。スーパーでパック詰めされた肉からは、なかなかその動物の姿は想像できないが、自分が解体した動物の肉ならば、食べるときにきっとなにか考えることがあるんじゃないかと思っている。きっといっしょに食べる家族や友人たちにもその動物のことを伝えてくれるだろう。

ベジタリアンという生き方もある

動物の肉を食べないで生きるという選択肢もある。ぼく自身は自然の生態系のことや自分と動物たちのかかわりも考えて、肉を食べる暮らしを選択しているが、どうしても動物たちの命を奪うのが嫌だという人もいるだろう。そういう人はベジタリアンという生き方もある。最近は、大豆で作った肉みたいなおかずやいろんな栄養補助食品も開発されており、ベジタリアン向けのレストランなども増えてきている。

ベジタリアンと猟師というと、正反対の立場のように思えるかもしれないけど、「動物のことが好き」という点では共通している。ひどい環境で飼育され、安い値段で大量に出荷される家畜がかわいそうだからベジタリアンになったという人もいる。そんな人の気持ちはぼくもとても共感できる。「動物たちと真剣に向き合って暮らしていきたい」という思いは同じなんじゃないだろうか。

おいしく料理しよう

ぼくは一猟期でシカ・イノシシあわせて10頭くらい獲ることにしている。これでわが家の業務用冷凍庫はちょうどいっぱいになる。ストックされる肉の量はだいたい200キロくらいで、次の猟期までの1年間は家族4人がいつでも肉が食べられる状態になる。

イノシシならぼたん鍋や焼き肉が定番の料理法として有名だけど、ふだんの食事で毎回そんな食べ方をしていたら当然飽きてしまう。ぼくは狩猟を商売にはせず、「生活の一部」として食料調達を目的におこなっているので、なるべくいろいろな料理法を工夫して自分の食生活に組み入れていくようにしている。

とは言っても「肉は自分が獲った獲物のものしか食べない！」などということだ

わりは別にない。仕事中に立ち寄った定食屋ではふつうにとんかつ定食も食べるし、「今晩はたまには親子丼にしよう」と言われたら鶏肉を買ってくる。まあ、一般家庭と比べるとずいぶんと家畜の肉の消費量は少ないだろうけど。

野生鳥獣肉の料理といえば、フランスなどヨーロッパのジビエ料理が有名だ。猟をはじめたころはいろいろ調べてみたけど、けっこう手間をかけた料理が多く、ふだんの家庭料理に応用できるものは意外と少なかった。

結局はいろいろ自分で試してみるしかなく、猟をはじめて20年近く経ったけど、いまでも試行錯誤を続けている。

肉の旬を知ろう

家畜の肉に慣れていると、肉の品質は常に一定だと思いがちだ。でも、野菜や魚に旬があるように、野生の肉にもおいしい時期もあれば、そうではない時期もある。

シカは一般的には食べ物が豊富な夏が一番おいしいと言われている。それが秋も深まっていくと徐々に食べ物もなくなっていって、脂のノリも悪くなっていくというわけだ。つまり、シカをおいしく食べようと思ったら、なるべく猟期の最初のころに獲るほうがいいということになる。ただ、シカは木の葉やドングリも食べるので、冬が近づいたからといって極端にやせていくということはない。

イノシシは、シカと違って夏場は食べ物が不足するのでやせている。秋になって、ドングリやヤマイモなどの山の幸が実るとそれをひたすら食べ続けて、冬越しするための脂を一気にためこむ。つまり、イノシシがおいしい季節は、秋から初冬にかけてということになる。。

こういったおいしい時期の獲物をねらって獲れるようになったら一人前の猟師と言えるだろう。

くん製の作り方

塩と熱、煙を使って肉を保存・加工する方法がくん製だ。

① 適量の塩と香辛料（コショウなど）に1週間漬け込む。
② 1時間ほど流水にさらし、塩分の濃さを調整する。
③ 軒先につり下げて半日ほど乾燥させる（寒い季節がよい）。
④ くん製器の中で約65度で4～5時間、煙と熱をかける。イノシシのバラ肉を使ったベーコンならこれで完成。ロースハムの場合はこのあと約70度のお湯で2時間ゆでる。シカ肉ジャーキーはくん製器に入れる前に薄切りにする。

肉の保存性を高めるとともに、食べておいしいのがくん製だ。手作りのベーコンやハムの味は格別だ。

市販の肉でも作れるのでみんなも一度チャレンジしてみよう。

野生動物の肉の特徴は？

「シカやイノシシの肉って、やっぱりかたそう」

こんなふうに思っている人は案外多いんじゃないだろうか。

でも、「野生動物だからかたい」というのは間違いだ。

家畜であろうと野生であろうと、動物は年をとったらそのぶん肉がかたくなる。家畜の豚は生後6カ月程度で110キロまで大きくなるように品種改良されていて、その段階で出荷される。つまり、みんなが食べる豚肉はすべて生後6カ月の子豚の肉だ。イノシシは生後6カ月なら20〜30キロにしかならない。それぐらい若い個体の肉なら市販の豚肉と同じくらいやわらかい。

狩猟で獲れるイノシシの年齢・サイズは当然バラバラだ。5〜6歳の大きなオスの肉なんかは当然かたくなる。

野生動物の肉を食べるというのは、その動物の種類だけじゃなく、育った場所や環境、獲れた時期、年齢などを考慮して料理法を考えるということだ。

「シカやイノシシを以前知り合いからもらって食べたけど、くさくて食べられたもんじゃなかった」

こういう話もたまに耳にする。おいしいシカ肉やシシ肉に慣れた人なら「そんなはずはない！」と思うかもしれないけど、いくらかはくさい獣肉が出回っているのも事実だ。

牛や豚などの家畜は、屠殺場で処理されるため、常に品質は一定にたもたれる。一方、狩猟で獲れる肉は千差万別だ。一秒でも早く血抜き・ハラ出し・冷却をおこなう必要があるというのはもう説明したけど、獲物が獲れる場所はさまざまだ。山奥で獲れた場合はどうしても運び出すのに時間がかかり処理が遅れる。また、獲物の解体も猟師によってやり方もさまざまなので、残念ながら処理がいい加減な猟師も存在する。そんな肉はどうしてもくさくなる。

こういった肉を食べた人は、シカやイノシシは「野生動物だから」くさいんだ、と思ってしまうわけである。

あと、発情期のイノシシのオスの肉には独特のくさみがあるので、運悪くそういう肉に当たったのかもしれない。ぼくは、年明けのイノシシの発情期のころにはオスは獲らないように心がけている。

イノシシ肉の特徴

有名な豚肉のブランドにスペインのイベリコ豚がある。日本にも多く輸入されており、かなり人気の食材だ。このイベリコ豚の中でもとくに高級なものは、特別な方法で飼育されている。途中まで穀物飼料などで育てたあと、数カ月から半年ほど、放牧地でドングリなどの自然のエサで育てられてから出荷される。ドングリ由来のおいしい脂が人気の秘密だ。

ぼくは高価なイベリコ豚の肉はいまだ食べたことはないけど、この話だけ聞くと「それってわざわざイノシシみたいな食生活をさせてるってことだよね」と思ってしまう。秋にドングリをたくさん食べたイノシシの脂身は本当においしい。

イノシシ料理

イノシシは豚の祖先なので、豚肉料理ならなんでもできる。

みそ味が一般的だが、あっさりとした水炊きで食べるのもおいしい。

ショウガ焼

ドングリを食べたイノシシの脂はとても美味。シンプルな料理が一番。

甘みがあってしつこくなく、いくらでも食べられる。以前、豚用のエサで1年間育てられたイノシシの肉を食べたことがある。その見た目は分厚い脂がのっていておいしそうだったけど、食べてみるとイノシシ特有のうま味が感じられず、がっかりする味だった。

イベリコ豚は当然、改良された品種なのでいろんな点で違いはあるだろうが、その脂身はきっとイノシシに近い味がすると思う。

さて、イノシシの料理法だが、イノシシは豚の祖先なので、豚肉でできるものならなんでもできる。トンカツにショウガ焼き、豚汁、角煮、豚キムチ……。うま味のある豚肉だと思って料理すれば、そんなに失敗することはない。イノシシの料理といえば、ぼたん鍋が有名だけど、お店で出るようなみそや山椒を使った濃い味つけにする必要はない。ちゃんと処理されたイノシシ肉はくさみなどないので、昆布だしの水炊きにポン酢であっさり食べるのがおいしい。ちなみに、ぼくは塩コショウだけの焼き肉が一番好き。シンプルな調理法のほうが肉の味がよくわかる。

イノシシは豚といっしょで、肝炎や寄生虫の問題があるので、どんな料理法でもしっかりと火を通すことだけは忘れないようにしよう。

シカ肉の特徴

京都のあたりで猟期に獲れるシカ肉はほとんど脂身がなく赤身の肉だ。うま味のあるイノシシの肉と比べ、焼き肉などにするとやや淡泊で物足りない。シカはかつてはよく「シカ刺し」と言って馬肉のように生で食べられていたけど、肝炎や寄生虫の問題があるので、最近はしっかり加熱して食べたほうがいいと言われるようになった。

シカ肉は健康食材としても注目されている。カロリーは牛や豚の半分くらいしかなく、ダイエット食材として人気の鶏のささみ肉と同じくらいのカロリーだ。高タンパクで鉄分やビタミンも豊富で、ダイエットや美容を考える女性に人気が出てきているそうだ。

以前、北海道の旭川でエゾシカのバーベキューをごちそうになったことがある。こちらのシカと違いエゾシカは分厚い脂身を持っている。その脂身は熱々で食べるとすごくおいしい。でも、いったん冷めてしまうと、口に入れても体温ではとけず、ざらついた食感にちょっとびっくりした。冷めても口の中に入れると脂の味が広がるイノシシ肉とは対照的だった。シカの脂は人間の体温ではとけないくらい融点が高く、あまり体内で吸収されないので、食べすぎても太らないそうだ。

シカ料理

しぐれ煮

解体のときに出る切れ端などの肉はしぐれ煮にしてむだなく利用する。

シチュー

シチューやカレーなど牛肉の赤身が合う料理はシカでもおすすめだ。

ステーキ

脂身の少ないシカ肉はバターをたっぷり使って焼くとおいしい。

わが家で人気があるシカ料理メニューは、シカカツやステーキ。ちょっと油っけを足してやる感じの料理がいい。シカ肉のソーセージを作るときも豚やイノシシの脂を足したほうが食べやすい。あとはカレーやシチューなどの煮込み料理にすれば、赤身の牛肉とそんなに大差はない。スネ肉やクビ肉などの利用しにくい部位は、しぐれ煮にしたり、ミンチにしてハンバーグやギョーザなどにするのもよい。

食べる以外の利用

皮なめし

猟をはじめてしばらくは毛皮をなめすのに凝っていた。せっかく獲った獲物なのだから、食べるだけでなく、なるべくむだなく利用したいと思ったからだ。初心者でも簡単に毛皮をなめせる方法が「ミョウバンなめし」。ミョウバンは薬局などで簡単に手に入る薬品で、これを使うことで毛皮がやわらかくなる。その方法を試行錯誤しながら、たくさんのシカの皮をなめして、家中に敷きつめたりしていた。それが結婚したときに「さすがにこれはちょっと撤去してもらえたら……」という話になり、その毛皮の多くは友人たちにもらわれていった。

実は毛皮というものは、見た目は豪華だが、現代においては意外と利用法がな

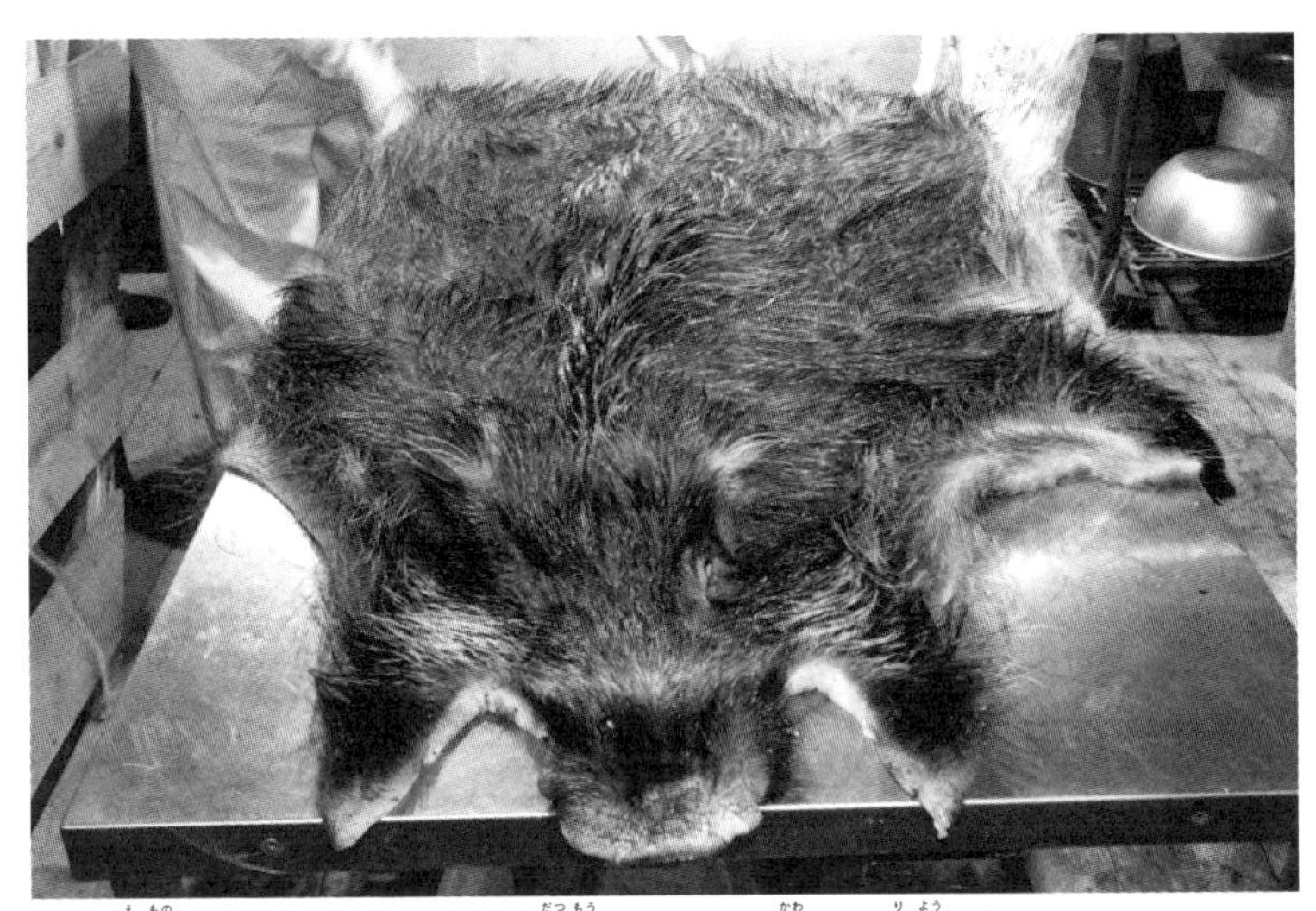
1頭の獲物から大きな毛皮が取れる。脱毛してなめせば革として利用できる。

い。山歩きをする人の中には尻当てとして使っている人もいるが、わな猟師が毛皮の服を着て、けもの道の茂みでゴソゴソしていたら、獲物と間違えられて鉄砲うちにうたれてしまう。

というわけで、最近は脱毛処理したいわゆる「革」としてのなめしをすることが多くなった。毛を抜いてしまった革はとても利用しやすくなる。みんなのお父さんの革靴や財布、カバン、作業用の手袋なんかも牛や豚などの家畜の革で作られているものがたくさんある。メガネを拭くためのセーム革はシカの革だ。シカの革はキメが細かくてガラスを傷つけることがないという。

市販されているものの多くは、「クロムなめし」という方法で作られたもの。ただ、これに使うクロムという薬品は、扱いを間違うと人体にとってとても危険な薬なので、個人が扱うのは難しい。

次に多いのが「タンニンなめし」という方法。これはカシの木などの植物由来のタンニンを利用したなめし技法で、ナチュラル志向の人たちに人気のあるやり方。ぼくも薪割り用の原木としてカシを手に入れたときは、樹皮を保存しておくようにしている。これはもともとはくくりわなのにおい消しと色づけに使っていたものだけど、最近は皮なめしにも利用している。ただ、タンニンなめしは濃さの違うタンニン液を繰り返し漬けたりと工程が複雑で、ぼくもまだいろいろと実験してみている段階だ。

猟師ならではのなめし法もある。それは「脳漿なめし」と言って、シカやイノシシの脳みそを使うやり方だ。脳みそを使うというとギョッとするかもしれない

毛皮のなめし方（ミョウバンなめし）

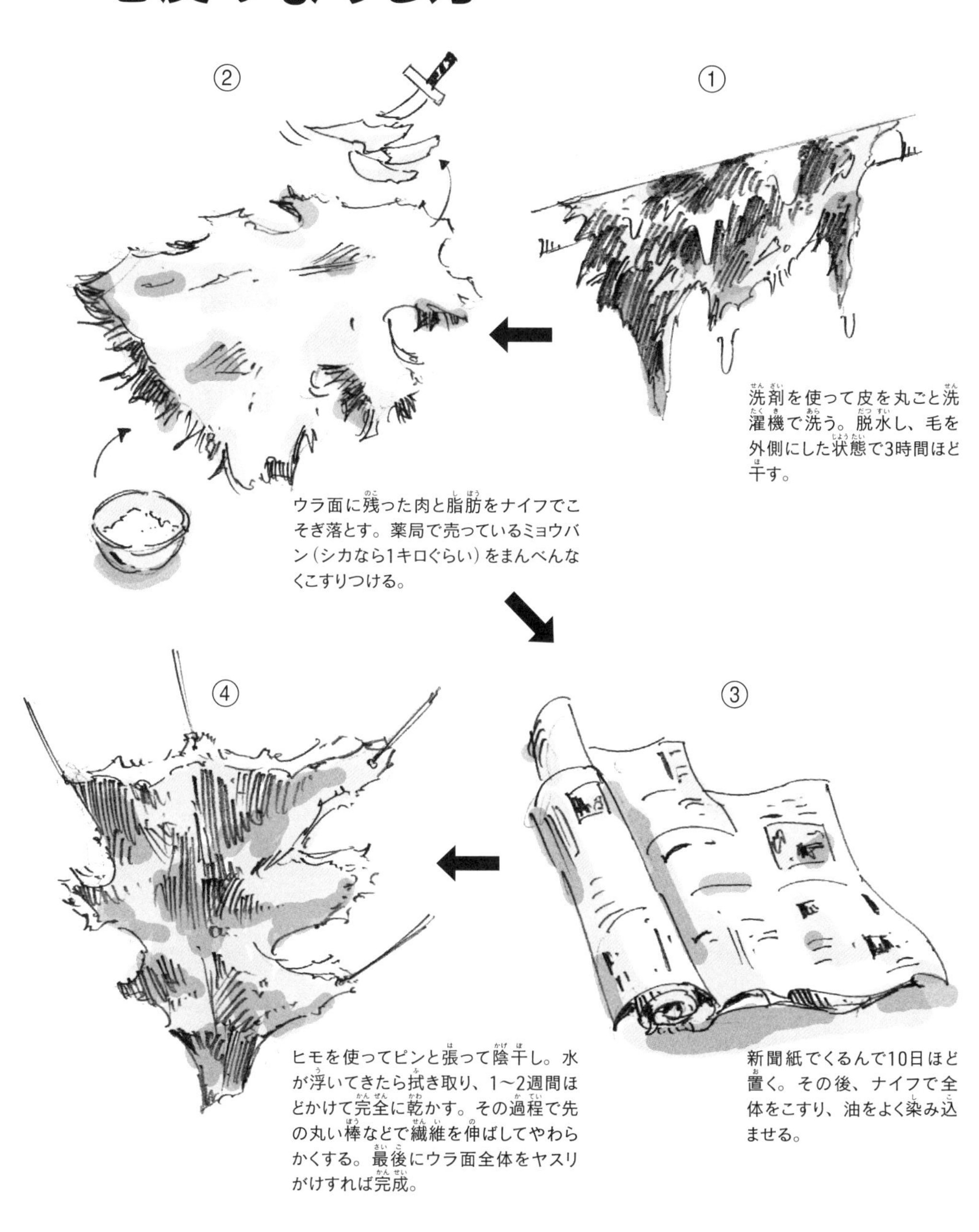

①
洗剤を使って皮を丸ごと洗濯機で洗う。脱水し、毛を外側にした状態で3時間ほど干す。

②
ウラ面に残った肉と脂肪をナイフでこそぎ落とす。薬局で売っているミョウバン（シカなら1キロぐらい）をまんべんなくこすりつける。

③
新聞紙でくるんで10日ほど置く。その後、ナイフで全体をこすり、油をよく染み込ませる。

④
ヒモを使ってピンと張って陰干し。水が浮いてきたら拭き取り、1〜2週間ほどかけて完全に乾かす。その過程で先の丸い棒などで繊維を伸ばしてやわらかくする。最後にウラ面全体をヤスリがけすれば完成。

けど、これは世界各地の先住民族の間で昔から広くおこなわれていた方法。日本でも皮革産業の歴史の中では、この技術は利用されていた。ただ、脳みそは腐りやすいので、雑菌も繁殖しやすい。悪い病気に感染する危険もあるので、やるときは十分注意しないといけない。

皮なめしの方法の基本はすべて同じで、石灰などに漬け込んで脱毛処理をした皮を、各種なめし液に漬け込む。乾燥させた皮になめし剤を塗り込む方法もある。なめし液が皮の中まで染み込んだら、あとはその皮をひたすら引っ張ったり、こすったりしてやわらかくする。

皮なめしは方法自体はシンプルだけど、実際にやるととても時間のかかる重労働だ。ぼくも小物入れやカバン、ナイフケースなど猟に使う道具を手作りしているが、正直言って買ったほうが安いと思えるくらい手間がかかる。でも、自分が獲った獲物の皮で作った道具はやはり愛着がわくし、生き物の命をむだにしていないという気持ちも持っていられるので、これからも少しずつでも作り続けたいと思っている。

骨の利用

大学生のころに住んでいた学生寮で、ある夏にハエが大発生したことがある。尋常じゃないハエの数で、古株の寮生も「これまでこんなにハエが発生したのは経験がない」と言い、一部の寮生の間では「なにかの天変地異の前触れかも……」なんて話まで出ていた。当時、大学8回生くらいだったぼくは「また、どうでもいい話で盛り上がってんなあ」くらいに思っていたが、ある日ふとあることを思い出した。

「ひょっとして……」

スコップを片手に自室のベランダから寮の中庭に出て、ある場所に向かった。そこに着く前にすでに異臭がしている。

「やばい！」

白骨化させたイノシシの頭。大物の頭骨は解体小屋の棚にかざってある。

急いでそこを掘り返すとホラー映画のような光景が……。ぼくが昨年の猟期に捕獲したシカ3頭分の頭骨に大量のウジが這い回っていた。深く埋めたはずだったが、寮の猫が一部を掘り返していて、ハエが卵をうみつけてしまっていた。ハエたちにとってはパラダイスのような環境だ。

獲物の頭骨を白骨化させたいときは、本職の人は苛性ソーダで煮込んだりするが、土に埋めて半年くらい置いておけば微生物が悩みそまできれいに分解してくれる。牙が大きいイノシシや角が立派なシカの頭骨は、人に狩猟のことを説明したりするときに便利だ。イノシシが猟師を威嚇して牙をガチガチ鳴らす様子は、実際に下あごの骨を動かして実演するとわかりやすい。上の犬歯で下の牙を研いでいるというのも直接見て触ってもらうのが一番手っ取り早い。シカの角はナイフのグリップやアクセサリーなどを作る材料にもなる。

ちなみに、ウジが大発生した学生寮の頭骨だが、急いで熱湯をかけてウジを殺して、深く穴を掘って埋め直した。しばらくすると、徐々にハエの数も減って、寮内のうわさもおさまっていった。住んでいた寮の中庭が鬱蒼と巨木が茂ったジャングルみたいな場所だったこともあり、現場に近づく寮生もおらず、ぼくが犯人だというのもバレずにすんだ。

かつて人類は獣骨や角を狩猟具や漁具、縫い針などの生活用具や装身具などに加工して、幅広く利用していた。筋や腱からは弓矢の弦などに使う繊維も取れた。皮や骨、腱などを煮込んで作る「にかわ」と呼ばれる接着剤もさまざまな分野で

骨をまるごと1晩煮込み、白くにごったスープをざるでこせば、イノシシスープが完成。

利用されていた。近代以降でも、骨から油を取ったり、骨粉にして畑の肥料としても使われた。珍しい利用法では灰にしてから磁器の材料にしたというのもある。

わが家では1頭分の骨を丸ごと煮込んでスープにしたり、砕いてニワトリのエサにするくらいだが、もっといろいろな利用法があるのではと思い、日々研究している。

イノシシの骨からはおいしいスープが取れる。大きな寸胴鍋に1頭分の骨を入れ、一晩くらいグラグラ煮ると白濁した濃厚なスープができあがる。鍋のサイズに余裕があれば頭骨もぶち込んだほうがいい。こうやって取ったスープは煮詰めてから小分けにして冷凍保存しておけば、いろいろ料理に使える。インスタントラーメンに入れたらけっこう本格的なとんこつラーメンのような味になる。

ニワトリを飼おう

ニワトリは狩猟採集生活のよき相棒だ。獲物の骨だけでなく、夏場に獲ってきた魚介類の貝殻や骨、アラなんかをどんどん食べておいしい卵をうんでくれる。エサはくず米、米ぬか、オカラや野菜くずなどタダで手に入るものでほとんどまかなえる。畑で野菜を育てていれば、鶏糞もよい肥料になる。

子どものころに夢見た無人島生活でもニワトリたちは島を駆け回っていた。ぼくは残念ながら無人島暮らしはしていないけど、ニワトリはもう10年以上飼い続けている。

獲物は山からのいただきもの

「自分の力で獲った肉」が食卓に並び、それが自分や家族、友人たちの血肉になっていく。わが家ではペットの猫もシカ肉が大好物だ。

友人たちに肉を振る舞うと「これはどこで獲れたイノシシなん？」とよく聞かれる。

「こいつはウチの裏山で2年かけてねらってたメスで、なかなか賢くて獲るのに苦労してなあ……」

1頭ごとに獲れるまでの思い出があり、ついつい長々としゃべってしまう。友人たちもそのイノシシの様子を想像する。

「今年は、クヌギのドングリが豊作やったから、そこに通うけもの道に仕掛けたらうまいこと獲れたんや」

人間が手間ひまかけて育てる野菜や家畜と違い、野生動物を育ててくれるのは山だ。豊かな山の木々がたくさんのドングリを実らせてくれるおかげで、おいしいイノシシが食べられる。山菜やキノコと同じで、シカやイノシシも山のめぐみだ。

これまで見てきたように、「自分の力で肉を獲る」ということは、とても大変なことだ。山に入り獲物のこん跡を調べ、わなを仕掛け、見回りをする。獲物が掛かっていたらトドメを刺して運び出し、解体してから精肉にする。

そこまでやってやっと食べられる肉だけど、この肉はやっぱり山がなかったらそもそも存在しないものだ。なんだか本のタイトルと矛盾しちゃうかもしれないけど、「自分の力」だけでは決して手に入らないのが野生動物の肉であり、だからこそ猟師は山に感謝して暮らしている。

ぼくも獲物は山からいただいたものだと思っている。これからもむだにすることなく、大切に利用していきたい。

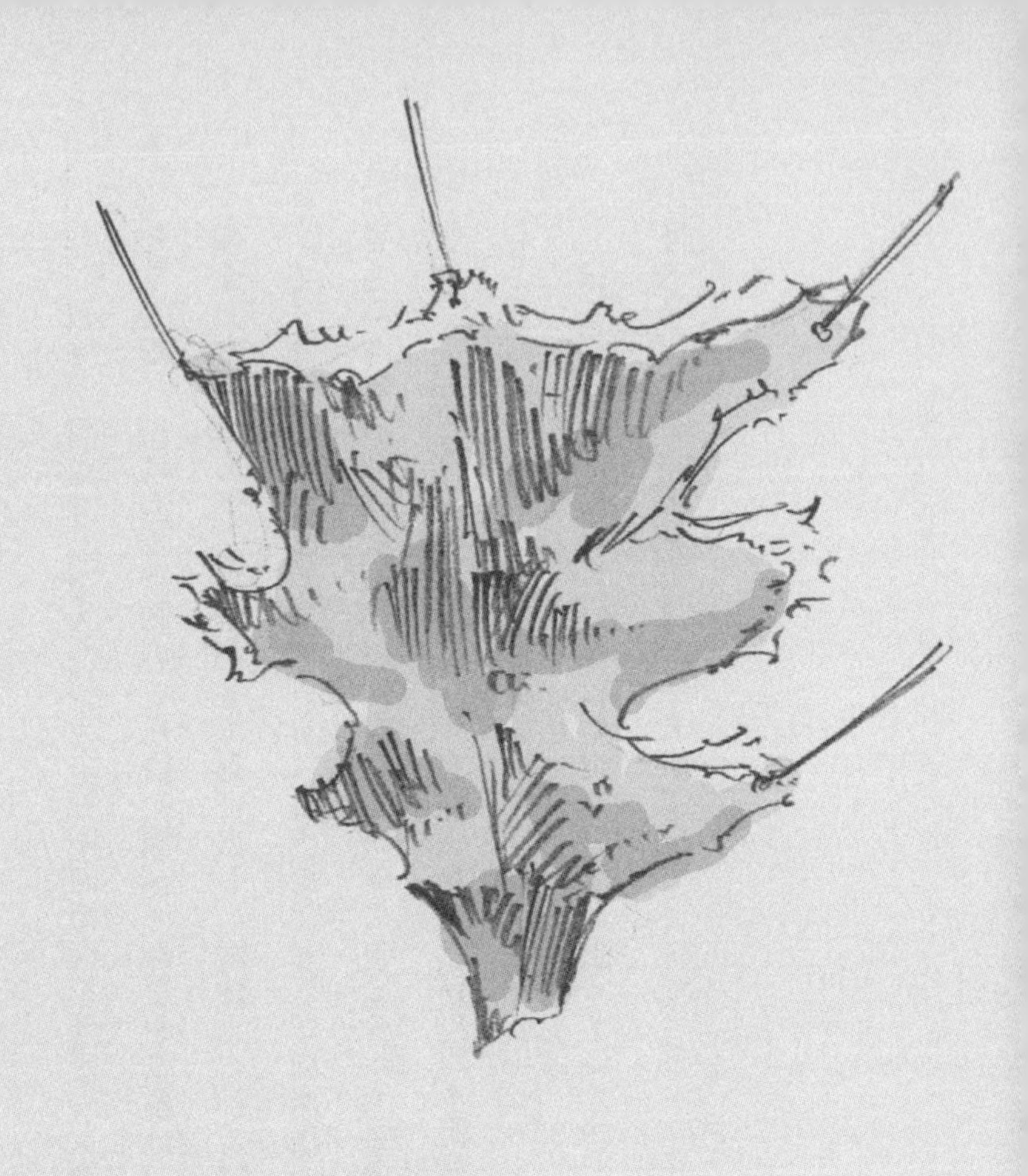

おわりに

狩猟のある暮らし

さあ、この本ももうすぐ終わりだ。最後にぼくが狩猟をはじめてしばらくしてから体験したことについてみんなに聞いてもらいたいと思う。

狩猟をはじめて5年くらい経つと、ある程度の数の獲物はねらって獲れるようになってきた。

自分の技術が少しずつ上達しているのが実感できるのもうれしかった。警戒心の強いイノシシをたくさん獲るのは難しいけど、シカならしっかりねらえば1カ月で10頭以上は獲れる自信もついた。

ぼくが狩猟をはじめたころは、ちょうど全国的にシカの数がどんどん増えはじめていた時期だ。江戸から明治のころの乱獲や森林伐採などによる生息環境の悪化で、日本のシカは一時期かなり数を減らしていた。それが、国の保護政策や森林の状況の変化でなんとか生息数を回復させることができた。しかし、最近では増えすぎて山の中の山野草を食べ尽したり、農業や林業へ被害を与えることが大問題になっている。田舎のほうに行くと、農家の人はホントに困っていて、シカは「迷惑な動物」として扱われている。

ぼくは考えた。

「それだったら、どんどんシカを獲って、いろんな人に食べてもらえばいいんじゃないか?」

獲ったシカ肉を友人たちに食べてもらうと、みんな口をそろえて「うまい、うまい!」と言ってくれる。それなのに、世間一般ではシカ肉を食べる人はほとんどおらず、スーパーでも売られていない。

シカも別に悪意があって農作物を食べているわけじゃない。山からちょっと出てきてみたらおいしそうな食べ物があったから、うれしくなってそれを食べているだけだ。それを一方的に悪者扱いするのもかわいそうだ。「シカ肉が実はこんなにおいしい」ということを多くの人が知れば、シカに対するイメージもただの「害獣」から「山のめぐみ」にかわるんじゃないだろうか。ぼくひとりでやれる範囲は限られているけど、それでも増えすぎたシカを山から減らすことで森林生態系のバランスを回復させることにもつながるなら、一石二鳥じゃないか。いや、さらにシカ肉を販売してお金をもらえれば、わなの材料代などの狩猟にかかる経費に使うこともできて、一石三鳥だ！

さっそく飲食店をやっている知り合いに片っぱしから連絡すると、何人かがシカ肉に興味を持ってくれて、試しにお店のメニューに加えてもらえることになった。シカカツ、ハーブロースト、シカカレー、プロの料理人が作るシカ肉料理はどれもすごくおいしかった。

「こんなにうまいんだったら、絶対人気メニューになるぞ！」

ぼくの予想は的中し、どのお店でもシカ肉料理はよく注文されるようになった。

「モモ肉10キロください」

「追加で肩肉5キロお願いします」

こんな連絡が毎週のようにお店からくるようになった。

ぼくも大忙しだ。これまでよりもわなの数を増やし、イノシシねらいからシカねらいにシフトし、シカの気配の濃い猟場を中心に回った。

シカは順調に獲れていった。唯一の問題は、お店で使いやすいのは大きなブロックが取れるロースやモモ肉なので、自分の手元にスネ肉やクビ肉などの扱いにくい肉がたくさん残ることだ。いろいろと工夫してそういう肉を使ってくれるお店もあったけど、それくらいではなかなか使い切れない。その結果、我が家の食卓にモモ肉やロースが並ぶことはなくなり、スネ肉の煮込み料理や、切れ端部分の肉をミンチにして作ったハンバーグなんかが定番となった。「たまにはモモ肉も食べたいなあ」なんて冗談を言いながら……。

ひたすらシカをねらいながら何度かの猟期をすごした。

「あー、週末までにあとモモ肉10キロ欲しいって言われてたし、追加でわなを仕掛けるか……」

「あの山のイノシシねらいたいけど、シカ優先でいかないと、注文に間に合わへんやろなあ」

こんなことを考えながら毎日山に入っていた。


いつのころからだろうか。そんなぼくの中に、ある違和感が生まれていた。好きではじめた狩猟のはずなのに、いつのまにかシカを獲るのが義務や仕事のように思える。なんだか狩猟していても楽しくない……。

シカがわなに掛かっているのを見つけても、「ああよかった。これでなんとか頼まれた肉が確保できた」という安心感しかなく、イノシシが掛かったときのような「よっしゃ、獲れたっ！」という興奮や喜びは生まれなくなってきていた。

この違和感に気づいてからは、その気持ちがどんどんふくらんできた。

そうなってくると、山へ行くのもだんだん気が重くなってくる。自分がなんのために狩猟をしているのかもよくわからなくなっていった。みんなに食べてもらおうとシカ肉は安い値段で卸していたので、とくにもうかるわけでもない。

山の中を歩いて、わなを見回って歩いていても、「シカが掛かってないといいなあ……」とまで考えるようになってきた。最後までわなを見回って、シカが掛かっていないことを確認できるとホッとした。

でも、獲らないといけない。

わなに掛かったシカが不安げな表情でじっとこちらを見つめている。ぼくはその顔を直視できず、目をそらしてしまう。「絶対に獲りたい！」という気持ちもないまま獲り続けていることへの後ろめたさがあったのだろう。

ある日の早朝。まだ薄暗い中、見回りに出かけた。ライトを手に山を歩いていると、一番奥のわなのほうでガサガサという物音が聞こえる。もう少し近づくと、シカが掛かっているのが見えた。メスジカだ。どうやら後ろ足にわなが掛かっているようだ。

「あらー、後ろ足か……。モモ肉が血肉になっちゃってるかなあ」

ぼくが近づくと、暴れ出し、まわりの木に何度も体を打ちつけた。

「おいおい、ロースが痛むからやめろ」

ぼくは急いでトドメ刺しに取り掛かった。ただ、肉の状態に気を取られていたからか、スムーズに失神させることができず、むだに怖がらせてしまった。

「ああ、悪いことしたなあ……」

倒れたシカを押さえ込みながら、頸動脈を切る。真っ赤な血がドクドクと流れ出す。

「さて、何キロの肉が取れるか……」

頭の中にはすぐにこんなことばかり浮かんでくる。

流れ出る赤い血。静まり返った真冬の早朝、シカとぼくの吐く白い息が重なる。徐々に光を失っていくシカの瞳孔を見つめながら、その呼吸が止まるのを待つ。

山の中に朝の光が差し込み、小鳥たちもさえずりはじめた。そんな山の中でなんだかぼくは疎外感を感じていた。自分だけが自然の中に侵入した異物のように思えた。

「ああ、こんなことやってちゃダメなんかもな……」

ぼくは子どものころから動物が好きだった。動物の仲間になりたかった。山の中に分け入って、自分が食うための獲物を狩ることに憧れたのも、それが理由だった。はじめて獲ったシカの肉を友人たちと分け合って食べたとき、彼らが「うまいうまい」と言って喜んでくれたことがなによりうれしかった。自分や仲間たちの血肉となってくれる獲物を、知恵を絞り自分の力で獲ってこれたことは、自分も動物であることを実感できた瞬間だった。

それがいまは、誰だか知らない他人が食べるための シカ肉を得るためにたくさんのシカを獲っている。そして、その肉が売り物になるかどうかばかりを気にしている。自然界の肉食動物だって家族や仲間が食べる分以上の獲物を獲ることはない。ぼくは知らないうちに、山の動物ではなくなってしまっていたようだ。

「もうやめよう。これは自分がやりたかった猟じゃない」

この年の猟期でシカの肉を売ることはやめた。お世話になった飲食店には事情を話して了解してもらった。

ただ、誤解しないでもらいたいのは、販売するために獲物を獲ることが悪いことなのではない。ぼくもノルマ（獲らなければならない数）に追われながらのシカ猟を続けた数年間で、シカを獲る技術は確かに向上した。そこにはねらった獲物をしっかりと獲れるようになっていく喜びもあった。また、ぼくが獲ったシカ肉をおいしく料理してくれていたお店の人にもすごく感謝しているし、「ここのシカ肉はおいしい」ってお客さんによく言われるという話を聞くとうれしかった。

でも、ぼくにはその暮らしは向いてなかったというだけのことだ。

狩猟をする人の中でもさまざまな考えがあるのは当然で、いろいろなスタイルがある。年間何百頭も捕獲し、プロの猟師として高みを目指す人もいる。獣害に苦しむ農家のために、真夏の暑い山の中を必死で走り回って有害駆除に取り組む人もいる。冬の猟期に10頭程度の獲物を獲ってヒイヒイ言ってるぼくなんかからしたらホントにすごいことだと思う。

今年で狩猟をはじめて19年目、ぼくはいまはやりたいように暮らしている。ぼくにとっての狩猟は仕事でも趣味でもなく、生活の一部、ライフスタイルになってきた。自分と家族、友人たちで分け合って食べる分だけの獲物を獲っている。ずいぶんと気持ちも楽になった。誰かに獲ってくれと言われたからではなく、自分が獲りたいから獲る、これが一番シンプルでぼくにとっては無理がない狩猟スタイルだ。

シカ肉の販売をやめたころ、ちょうど結婚して子どもができた。自分が獲ってきた獲物の肉を食べてくれる家族ができたこともいまのスタイルにシフトするきっかけだったのかもしれない。最近では子どもたちも大きくなり、いっしょに山を歩いて動物のこん跡を探したり、獲物の解体を手伝ってくれたりするようになってきた。そんな自分の子どもたちにしっかりと狩猟のことを伝えたいと思ったのも、この本を書こうと思った動機のひとつだ。

今回は子ども向けということで、ぼくが子ども時代に影響を受けた椋鳩十の本を何冊か読み直した。その中の1冊、ワシの兄弟が主人公のお話にこんな文章があった。

「狩人というものは、まことにふしぎな心をもっているのである。

狩りのえものが、強く、りこうで、狩人をなやませば、なやますほど、じぶんも知恵をはたらかせて、相手をしとめてやろうと、いっしょうけんめいになるが、けっして、その相手をにくんでいるのではない。心の中では、その相手を、「えらいやつだ。」と、そんけいしているのだ。」（椋鳩十全集4『大空に生きる』）

ああ、そうだそうだ。ぼくはこんな猟師になりたかったんだ。

狩猟の魅力はなんといっても動物たちとの知恵比べだ。イノシシの突進力、尖った牙、シカの立派な角やジャンプ力。どれをとっても身体能力ではとうていかなわない。そして、鋭い嗅覚と野生の警戒心でみごとにわなを見破る。猟を続けて、彼らとやりあえばやりあうほど、彼らのすごさが身にしみてよくわかるようになる。

狩猟のときだけじゃない。タケノコやヤマイモを掘りに山に出かければ、必ずイノシシたちが先に掘り返している。ぼくなんか彼らに全然およばない。イノシシのおこぼれをいただいているようなもんだ。「猟師は獲物のことを尊敬している」という椋鳩十の言葉は本当にその通りだと思う。彼らの行動や生態にくわしくなればなるほど、そのすごさに驚き、その動物たちのことが好きになっていく。猟をしていると、山にもくわしくなってくる。猟期が終わると次は渓流釣りのシーズンがやってくる。山あいを流れる渓流では美しいアマゴやイワナを釣ることができる。そして、春が訪れ山々の木々がいっせいに芽吹き、山菜や木の芽、野草の季節になる。夏には川でアユやウナギをねらい、秋にはたわわに実る木の実やキノコを採る。いろんな自然のめぐみを与えてくれる山は、ぼくにとってのスーパーマーケットのようなものだ。ただ、お金のかわりに知恵と労力、経験が必要になるのは言うまでもない。

山ではいろいろな動物たちがそれぞれの獲物をねらっている。木の実やキノコだって動物たちと取り合いだ。ぼくはハチミツを採るためにミツバチを飼っているけど、そうするとそれをねらって家のすぐ裏までクマがやってくる。秋にはオオスズメバチも集団で巣箱を襲いに来る。鶏小屋にもイタチやキツネが何度か侵入した。アオダイショウもひよこや卵をねらって目を光らせている。ぼくが猟をするように彼らも獲物をねらっている。

こういう暮らしをしていると、本当に山にはいろんな動物がいて、それぞれがつながりあって生きているということがよくわかる。狩猟という動物の命を奪う営みは、その部分だけ見ると残酷に映るかもしれない。でも、猟を続け、山の動物たちの血肉を食らうことは、彼らとつながることでもあり、自分もその大きな自然の一部だと実感させられる。ぼくの暮らしには、動物たちが元気に暮らしている豊かな山が必要不可欠だ。

この本では、ぼくがやっているわな猟を通して、現代における狩猟の世界の一端を紹介させてもらった。これを読んで実際に狩猟をやってみたいと思ってもらえたらとてもうれしい。でも、別に狩猟をやろうと思わなくても、人間と自然、動物とのかかわりのひとつのあり方として、現代でも日本各地でおこなわれている狩猟のことを知ってもらえただけでもぼくにとってはとても意味がある。

野山で遊ぶのが大好きな子どもたちや、動物といっしょに暮らしたいと思っている子どもたちにも参考になることはあったんじゃないかな。この本が、みんなが将来の自分の暮らし方を考えるなにかのヒントにでもなればいいなあと思っている。

千松信也（せんまつ　しんや）
1974年兵庫県生まれ。京都大学文学部在籍中に狩猟免許を取得。先輩猟師から伝統のくくりわな猟、むそう網猟を学び、運送会社で働きながら京都の山で猟をおこなっている。鉄砲は持っていない。2児の父で、息子たちと一緒に山に入ることも多い。著書に『ぼくは猟師になった』（新潮文庫）『けもの道の歩き方　猟師が見つめる日本の自然』（リトルモア）。

自分の力で肉を獲る
10歳から学ぶ狩猟の世界

2020年1月15日　初版第1刷発行
2023年9月 8 日　第4刷発行

著者……千松信也

ブックデザイン……宮脇宗平
撮影……梶山 正
イラスト……手塚健陽
編集担当……熊谷 満
発行者……木内洋育
発行所……株式会社旬報社
〒162-0041
東京都新宿区早稲田鶴巻町544　中川ビル4F
TEL：03-5579-8973　Fax：03-5579-8975
HP：https://www.junposha.com/
印刷製本……中央精版印刷株式会社

ISBN978-4-8451-1611-9

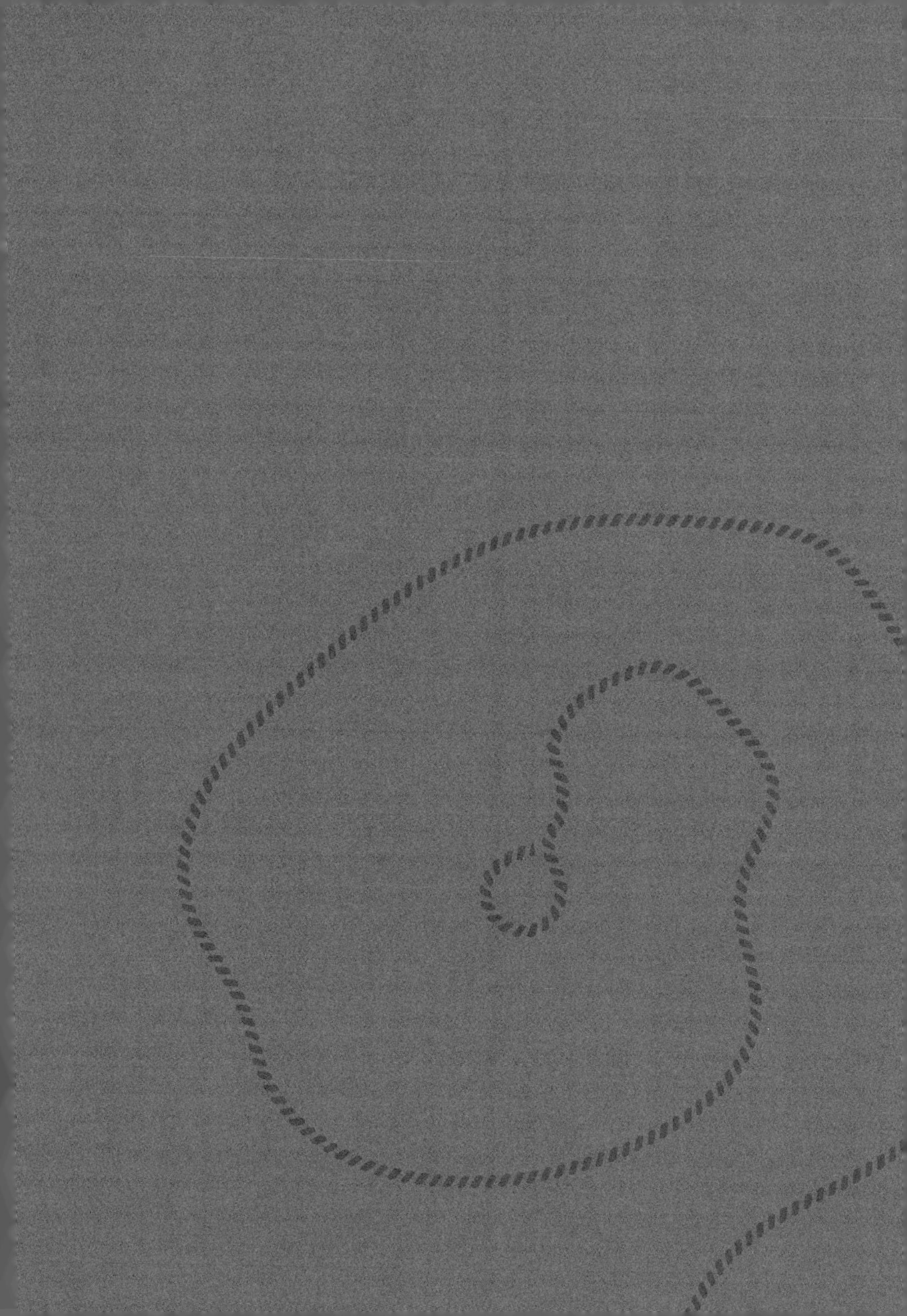